KB077114

이강 중국어

01

이강 중국어

이강 중국어 (차이나게 스타트)

발 행 | 2024년 01월 08일
저 자 | 이철분 (이강 닉네임)
펴낸이 | 한건희
펴낸곳 | 주식회사 부크크
출판사등록 | 2014.07.15 (제2014-16호)
주 소 | 서울특별시 금천구 가산디지털1로 119 SK트윈타워 A동 305호
전 화 | 1670-8316
이메일 | info@bookk.co.kr

ISBN | 979-11-410-6528-7
가격 :16,000원

www.bookk.co.kr

한두령

외국어배우기는 정말 어려워요. 10년두 넘게 중국어를 자습으로 하고있었지만 입도 뻥긋 못하는 수준에서 많은 유튜브중국어 강의를 들으면서 원어민에게서 배워야한다는걸 많이 느꼈습니다. 그러던 차에 이강쌤을 만나 원어민 발음으로 공부하고 녹본을 주셔서 꾸준히 듣고
하였습니다. 어느덧 몇개월이란 시간이 흐르고 지금은 일상에서의 가벼운 대화를 하게 되고 반복적인 성조를 고쳐주셔서 발음이 훨씬 좋아 졌습니다.새벽 6시가 기다려질 정도로 알찬 시간들이었습니다.
이강쌤과 같이 하는 학우분들 .. 함께여서 여기까지 오게되어 넘 감사합니다. 앞으로도 중국어민들과 대화하는 그날까지 힘냅시다.

작은 행복

중국어를 기본적으로 알고 있어도
입이 떼지지 않고 순서도 엉망으로 알고 있었는데 매일 매일 비슷한문구를 여러번 반복학습하면서 입이 트일수 있게 됐네요.
감사합니다. 선생님♡

혼자가 아니라
여럿이 배우면서 실수 하는 부분
잘하는 부분을 인지하고 고치고 따라가게되고
같이 해서 재미도 있고 웃고 해서 넘 좋은 시간입니다.
서로 여러일을 하고 있어 지치실건데
세상사는 얘기하며
힘들고 아플때 따뜻한 한마디로
등 뚜드려 주는 감사한 중국어시간입니다.

오래 배울수 있게
모두 건강한 하루 되시길 바랍니다

老师！同级生！谢谢。
祝大家身体健康

에뚜아르@etoilemoon7

여러 인생 목표 중에서 어느 것 하나를 이루려면 중국어가 꼭 필요했어요~
당장은 못 쓰더라도 배워둬야겠다 생각하며 수업을 듣고 있었는데.. 왠걸?
TV에서 방영되는 중국드라마에서 배운 게 귀에 쏙쏙 들리고 입으로 술술 따라하게 됐네요~
선생님의 넘치는 열정을 본받게 되고 하나라도 더 알려주고 싶어하셔서 정말 감사해요♡

나이루리/@na_eruri

이강중국어를 만난게 행운이었고, 처음엔 성조발음 안되었지만, 매일 반복학습으로 지금 이순간에도 성장하고 있음에 감사합니다~ 이강중국어 최고~~~

최소한으로 줄였는데도긴것 같아요~~~~ㅎ

이강 중국어

이강 지음

– 어떻게 이 책을 쓰게 되었나 –

한국 생활 20년을 하면서 중국어를 회화중심으로 수업한 지 어느덧 10년이다. 그 세월이 흐르는 동안 나도 잘 하는게 있다는 것을 깨달았다. 하여 수업의 질을 더 향상하기 위하여 책까지 펴내게 되었다. 처음 배우는 중국어 기초는 탄탄하게 병음은 따로 학습하지 않아도 자연스럽게 익히게 된다. 단어는 그림을 넣어 시각화를 시켜줄 뿐더러 학습자들의 머리속에 장기화로 기억에 도움이 될 것이다. 외국어는 문법보다 단어 기억이 더 중요하다고 생각하여 일상 속 다양한 어휘들로 하여금 주 회화를 익힐 수 있도록 구성하면서 많은 어휘가 회화에 도움이 될 수 있도록 단어에 초점을 잡았다.

본 교제는 일상생활 속에서 자주 쓰는 단어 위주로 책에 실었다. 그동안 회화를 가르치며 성조 발음은 기본으로 잡아가고 초보 학습자들이 단시간 내에 입이 열리고 귀가 열리게 하였다. 문장의 뼈대가 되는 동사를 활용하여 평서문, 의문문,부정문등의 문장들을 같은 단어 다른 문장으로 반복연습을 하게 하였다. 단어가 자연스럽게 익혀지면 다시 새 단어를 교체하여 문장도 다양한 연습으로 지루하지 않고 회화에 대한 자신감뿐만 아니라 흥미까지 유발한다. 인사말로 시작해서 인사말로 끝나는 중국어가 아닌 실생활속에서 단어의 반복 연습으로 회화를 자연스럽게 이어나 갈 수 있다. 중국인을 만나도 귀가 열려 있으므로 전혀 당황하지 않고 입을 열 수 있다. 이런 반복 연습으로 3개월만 하면 아이 어른 할 것 없을 이 왕왕초보자들도 귀가 열리는 것은 물론 입에서 말이 나오기 시작한다. 만 1년~3년 한 아이들은 일상 중국어뿐만 아니라 여행 중국어까지 할 수 있다. 왕초보 학습자들은 중국말이 언뜻 언뜻 들리는 기쁨은 물론 간단한 회화를 통해 동기부여를 얻는다. 이러하듯 외국어의 중요성을 말하는데 두고 일상 속 단어를 수록하여 말하는데 도움을 주려고 책을 펴낸것이다.

이 한 권의 교제를 통하여 기본 생활 속 중국어, 간단한 여행 중국어, 중국인과 간단한 정보 교환이 될 것이다. 이강 중국어와 함께 한다면 중국어를 눈으로만 보고 말은 한마디도 못하는 것이 아닌 내 입에서 직접 말이 술술~나오는 목표를 달성할 것이다.

(본 교제는 주 이강 중국어 저자와 함께 하는 수업 자료용으로만 편집한 것이니 이강 중국어와 함께 수업을 할 분들께만 추천한다.)

이 자리를 빌려 이른 새벽부터 제 강의를 꾸준히 들어주시는 열정적인 분들께 우선 감사의 인사를 드립니다. 특히 매번 강의 후기를 적극 남겨주신 분들, 단 한 번도 빠짐없이 강의에 참석해 주시는 분들 정말 감사합니다. 그 고요한 새벽시간에 중국어로 시작하여 웃음으로 마무리하는 하루의 에너지를 받게 해주셔서 감사합니다. 함께 새벽 시간을 열어 한마음 한뜻으로 배움의 길을 한 발짝씩 내디디며 저 또 한 인생선배님들 덕분에 많은 것을 배우고 깨닫고 성장하고 있습니다. 아무쪼록 건강하게 행복하게 인생을 사시는 여러분의 삶도 응원하며 열심히 애들 키우며 공부하는 엄마들의 삶도 응원하면서 이강 중국어가 한 줄의 빛이 되길 바라며 마무리하겠습니다. 처음 펴낸 책인 만큼 부족한 구성은 함께 학습하는 자들의 질정을 기다립니다.

이 책을 펴낼 수 있게 많은 도움을 주신 분들께 감사드리고 끝까지 손을 놓지 않고 이끌어 주신 올레비엔님께 감사의 인사를 올립니다.

목차:

1 단계 병음 & 단어

2 단계 동사 & (회화)

3 단계 숫자 (회화)

4 단계 명절 & 날짜

5 단계 과일 & 색상

6 단계 장소 & 방향

7 단계 건강 & 날씨

8 단계 음식주문

9 단계 문구 & 수업

☆ 1과 성모 & 운모

한글과 비슷한 (자음 & 모음 알아보기)

성모

운모

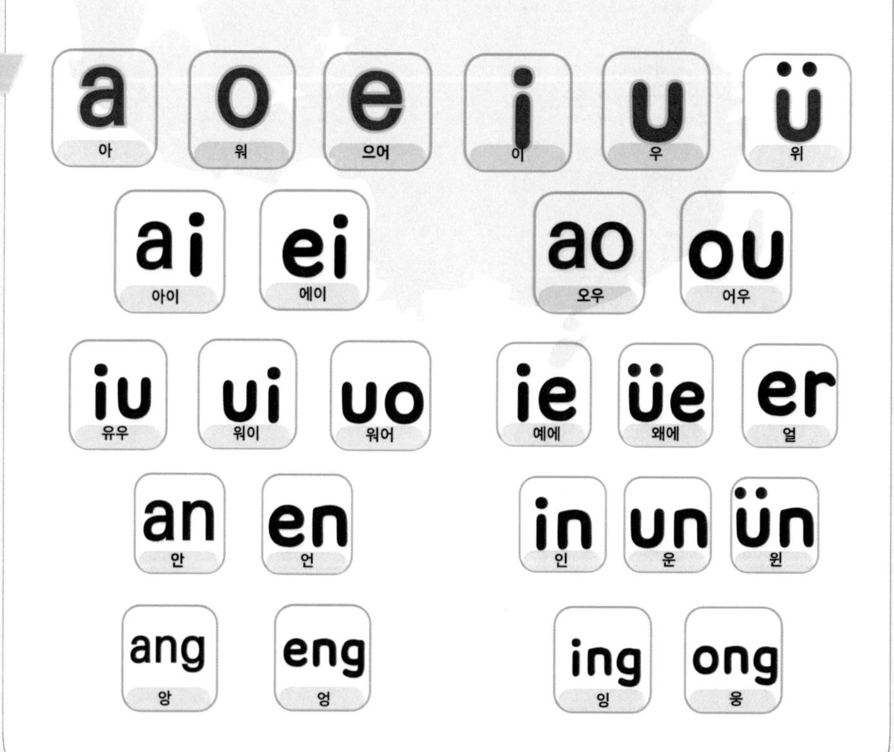

☆ 2과 복운모

i = y

ia	ie	ian	iao	iou
야아	예에	얜	요우	유우
ya	ye	yan	yao	you

iang	iong	in	ing
양	융	인	잉
yang	yong	yin	ying

u = w

ua	uo	uan	uen
와	워	완	원
wa	wo	wan	wen

uai	uei	uang	ueng
와이	웨이	왕	웡
wai	wei	wang	weng

ü = yu

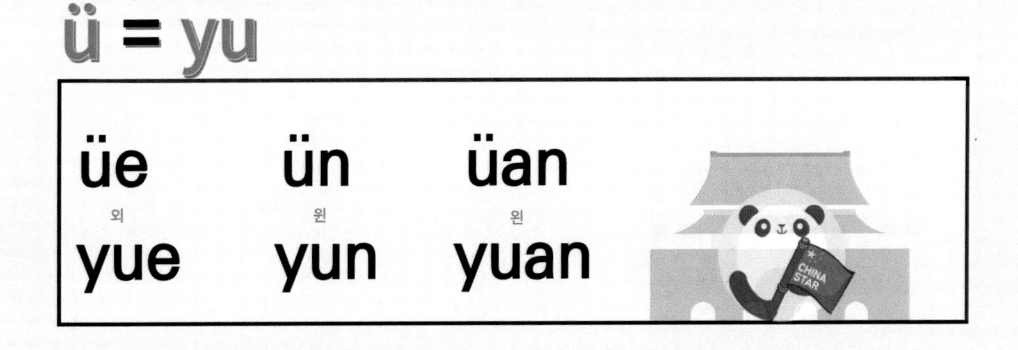

üe	ün	üan
웨	윈	윈
yue	yun	yuan

☆ 3과 성조

성조 (성조 알아보기)

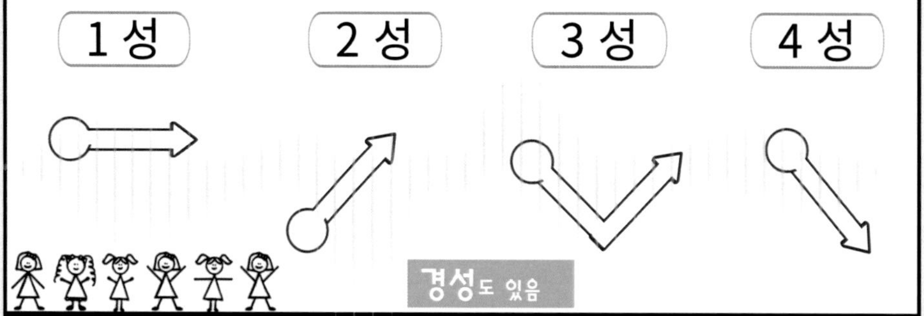

1성	2성	3성	4성

경성도 있음

평평하게	ā	ā
올라간다	á	á
아래위로	ǎ	ǎ
떨어진다	à	à

☆ 4과 성조 연습

성조 (성조로 리듬 타기)

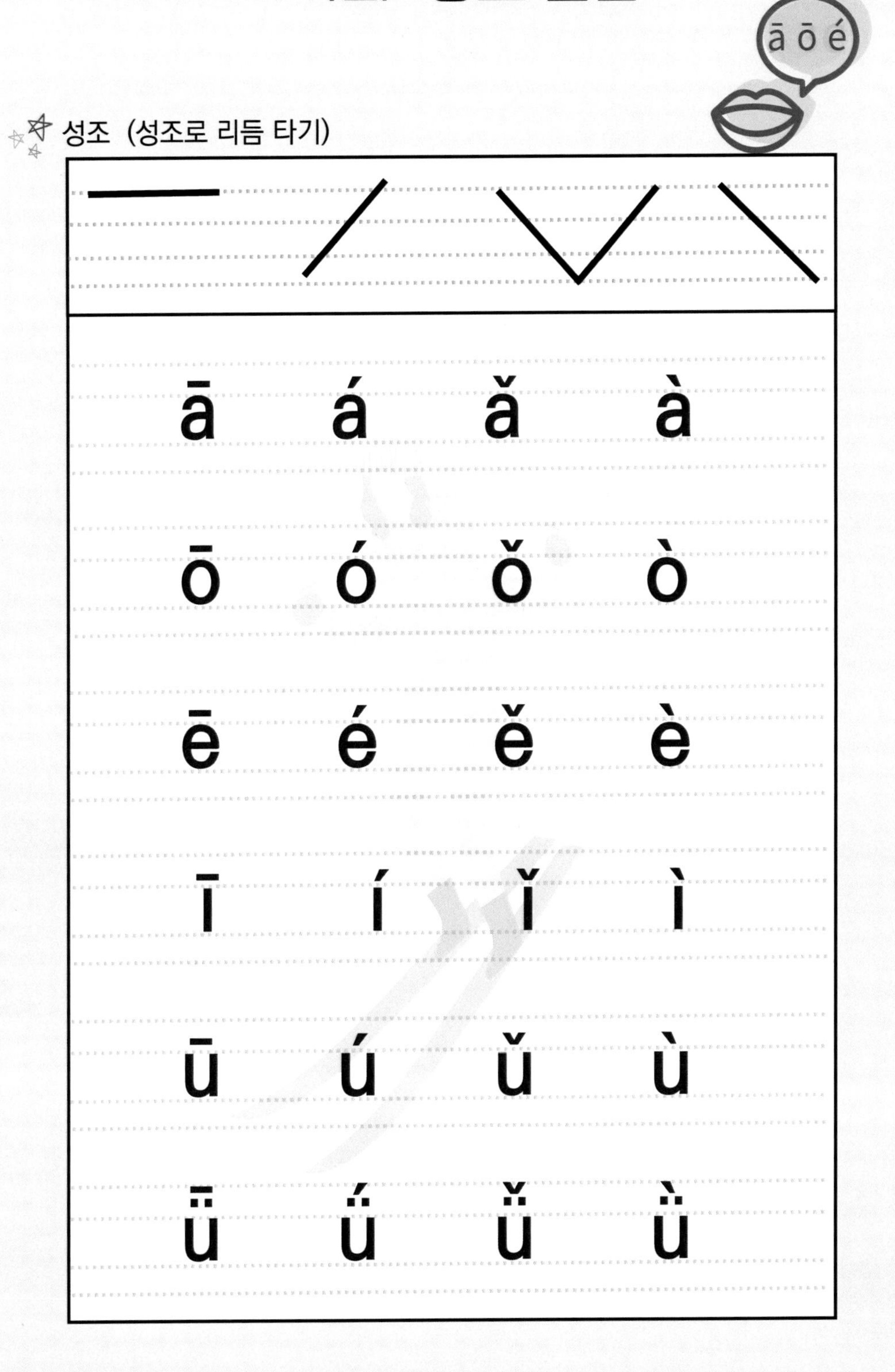

☆ 5과 병음 종합

병음 (읽어보기)

성모 + 운모

b + o = bo	d + e = de
p + o = po	t + e = te
m + o = mo	n + e = ne
f + o = fo	l + e = le

g + e = ge	j + i = ji
k + e = ke	q + i = qi
h + e = he	x + i = xi
z + i = zi	zh + i = zhi
c + i = ci	ch + i = chi
s + i = si	sh + i = shi
	r + i = ri

병음 = 성모 + 운모 + 성조

병음

안녕

Nǐ hǎo　　你好

Zài jiàn　　再见

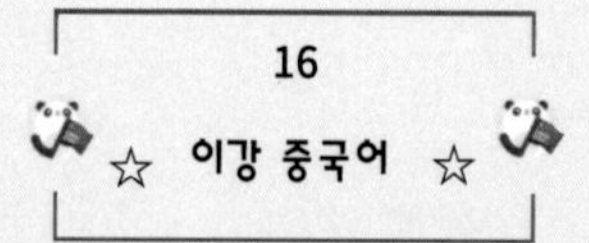

☆ 6과 中国 / 韩国

☆ 나라이름 (1성-4성 연습)

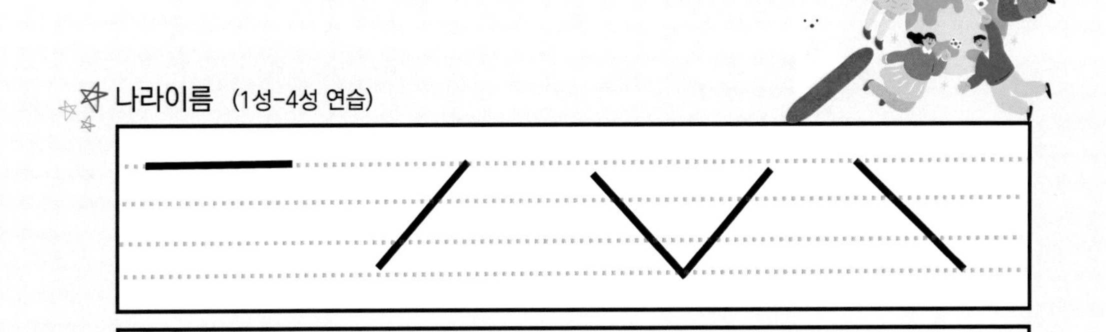

中国人 Zhōng guó rén

韩国人 Hán guó rén

美国人 Měi guó rén

日本人 Rì běn rén

生词
단어

中国	zhōng guó	중국	人	rén	사람
韩国	hán guó	한국	德国	dé guó	독일
美国	měi guó	미국	法国	fǎ guó	프랑스
日本	rì běn	일본	英国	yīng guó	영국

☆ 7과 家族

☆가족호칭 (성조, 발음 연습)

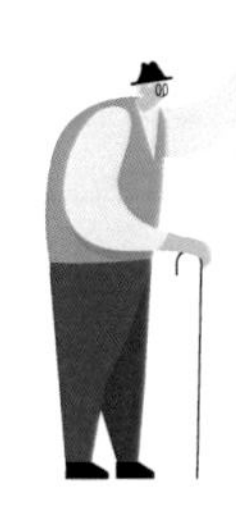

爷爷

yé ye

哥哥

gē ge

奶奶

nǎi nai

姐姐

jiě jie

爸爸

bà ba

弟弟

dì di

妈妈

mā ma

妹妹

mèi mei

生词

家族	jiā zú	가족
爷爷	yé ye	할아버지
奶奶	nǎi nai	할머니
爸爸	bà ba	아빠
妈妈	mā ma	엄마

哥哥	gē ge	오빠/형
姐姐	jiě jie	언니/누나
弟弟	dì di	남동생
妹妹	mèi mei	여동생
好/坏	hǎo/ huài	좋다/나쁘다

☆ 8과 我 / 你 / 他

☆ 인칭대사 (알아보기)

我
wǒ

我们
wǒ men

你
nǐ

你们
nǐ men

他
tā

他们
tā men

她
tā

谁
shéi

生词

我	Wǒ	나
你	Nǐ	당신, 너
他	Tā	그
她	Tā	그녀
它	Tā	그 , 저(것) 사람 이외 것들

我们	Wǒ men	우리
你们	Nǐ men	너희
他们	Tā men	그들
她们	Tā men	그녀들
大家	Dà jiā	여러분

☆ 9과 我妈妈 / 我爸爸

☆ 가족호칭 (성조,발음) 다지기

我爷爷 wǒ yé ye
我奶奶 wǒ nǎi nai
我爸爸 wǒ bà ba
我妈妈 wǒ mā ma
我哥哥 wǒ gē ge
我姐姐 wǒ jiě jie
我弟弟 wǒ dì di
我妹妹 wǒ mèi mei

你爷爷 nǐ yé ye
你奶奶 nǐ nǎi nai
你爸爸 nǐ bà ba
你妈妈 nǐ mā ma
你哥哥 nǐ gē ge
你姐姐 nǐ jiě jie
你弟弟 nǐ dì di
你妹妹 nǐ mèi mei

他 / 她爷爷 tā yé ye
他 / 她奶奶 tā nǎi nai
他 / 她爸爸 tā bà ba
他 / 她妈妈 tā mā ma
他 / 她哥哥 tā gē ge
他 / 她姐姐 tā jiě jie
他 / 她弟弟 tā dì di
他 / 她妹妹 tā mèi mei

☆ 1과 是 / 不是

동사 (성조 발음 기초 잡고 회화하기)

是

~ 이다
~ 아니다

不是

是

1. 你是谁 ？ 他是谁？
2. 我是我，你是你，他是他。
3. 她是我妈妈，他是我爸爸。
4. 我妈妈是中国人，我爸爸是韩国人。
5. 我是好人，他是好人，我们是好人。

不是

1. 我不是她姐姐。
2. 你不是我哥哥。
3. 她不是你妹妹。
4. 他不是日本人。
5. 她不是美国人。

生词

부영

是	shì	~이다	印度	yìn dù	인도
不是	bú shì	~이 아니다	俄罗斯	é luó sī	러시아
好人	hǎo rén	착한 사람	台湾	tái wān	대만
坏人	huài rén	나쁜 사람	新加坡	xīn jiā pō	싱가포르

☆ 2과 是不是？/ …… 吗？

☆ 동사 (의문문 연습)

是不是？

是不是？	…… 吗？

1. 你**是不是**德国人？
2. 她**是不是**法国人？
3. 他**是不是**英国人？
4. 他**是不是**韩国人？
5. 你**是不是**我哥哥？

吗？

1. 你是韩国人**吗**？
2. 她是中国人**吗**？
3. 你妈妈是日本人**吗**？
4. 她是你妹妹**吗**？
5. 我不是你姐姐**吗**？

生词

是不是？	shì bu shì？	~이 아니야?	**兄弟姐妹**	xiōng dì jiě mèi	형제자매
吗？	ma？	~까?(문장 끝)	**兄妹**	xiōng mèi	남매
朋友	péng you	친구	**姐妹**	jiě mèi	자매
父母	fù mǔ	부모	**姐弟**	jiě dì	오누이

☆ 3과 有 / 没有

☆ 동사 (동사 교체로 단어&회화 다지기)

钱

méi yǒu
没有

有

1. 我有钱。
2. 他有哥哥。
3. 我有姐姐。
4. 他有女朋友。
5. 她有男朋友 。

没有

1. 我没有弟弟。
2. 我没有哥哥。
3. 他没有姐姐。
4. 她没有男朋友。
5. 他没有女朋友。

無

生词

男朋友	nán péng you	남자친구	儿子	ér zi	아들
女朋友	nǚ péng you	여자친구	女儿	nǚ ér	딸
爱人	ài rén	배우자	闺女	guī nü	딸
老公	lǎo gōng	남편	孩子	hái zi	아이
老婆	lǎo pó	마누라,처	孙子	sūn zi	손자

바이올렛

☆ 4과　有没有？

☆ 동사교체 (의문문 다지기)

有没有？

yǒu méi yǒu

有吗？

没有吗？

있어?　없어?

有没有？

1. 妈妈，你**有没有**信用卡？

2. 你**有没有**支付宝？

3. 你**有没有**微信？

4. 你**有没有**男朋友？

5. 他**有没有**女朋友？

6. 你**有没有**时间？

7. 你**有没有**现金？

8. 你**有没有**孩子？

9. 你**有没有**儿子？

生词

现金	xiàn jīn	현금
信用卡	xìn yòng kǎ	신용카드
微信	wēi xìn	위챗
支付宝	zhī fù bǎo	중국에서 사용하는 결제 어플
钱	qián	돈
时间	shí jiān	시간
没(有)时间	méi(yǒu)shí jiān	시간없다

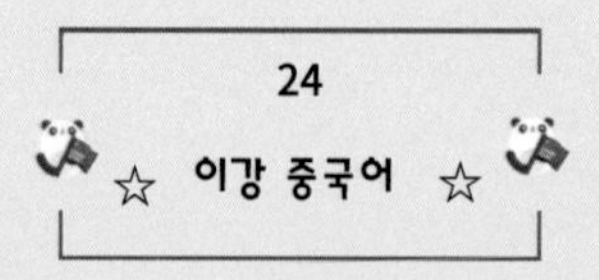

☆ 5과 问 / 答

☆ 총복습 (문장 만들기)

问 答 ...

是不是？ 谁？ 几？ 哪？ 什么？

1. …… 是不是 ……？

2. …… 是 …… 吗 ？

3. …… 不是 …… 吗 ？

4. …… 有没有 ……？

5. …… 有…… 吗 ？

6. …… 没有 …… 吗 ？

7. 谁 ？

☆ 6과 谁的？

새 단어 (새 단어와 회화 다지기)

谁的？
shuí de？

什么？
shén me？

我的
wǒ de

叫……
jiào

你的
nǐ de

名字
míng zi

她的
tā de

姓
xìng

它的
tā de

贵姓？
guì xìng?

生词						
	谁的？	shéi de	누구의 것	**什么？**	shén me	뭐? 무엇? 무슨?
	我的	wǒ de	나의 (것)	**叫……**	jiào	~부르다
	你的	nǐ de	너의 (것)	**名字**	míng zi	이름
	他的	tā de	그 사람의 (것)	**姓**	xìng	성씨
	您	nín	당신 (귀하)	**贵姓？**	guì xìng	성씨(존칭)

단군의 아들

☆ 7과 这 / 那 /哪?

☆ 지시사 & 장소 (알아보기)

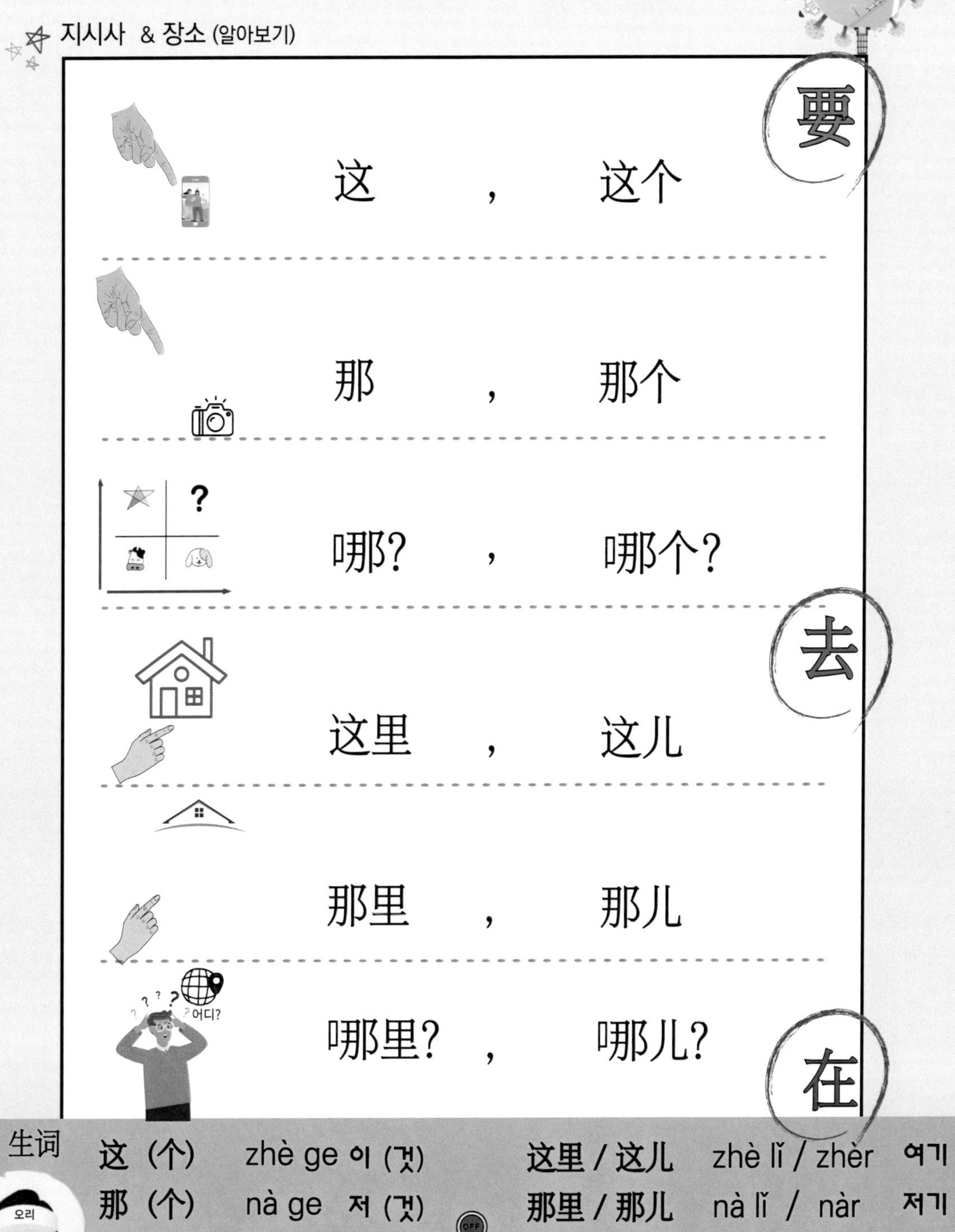

生词

这（个）	zhè ge	이 (것)	这里 / 这儿	zhè lǐ / zhèr	여기
那（个）	nà ge	저 (것)	那里 / 那儿	nà lǐ / nàr	저기
哪（个）?	nǎ ge	어느 (것)	哪里? / 哪儿?	nǎ lǐ / nǎr ?	어디?

☆ 8과　你是谁?

☆ 문장 연습 (회화다지기)

1. 你姓什么？我姓李 。

2. 你是哪国人？我是韩国人 。

3. 这是什么？ 这是信用卡 。

4. 他是谁的弟弟？他是他的弟弟 。

5. 你叫什么名字？ 我叫OOO 。

6. 这是谁的？这是你的, 哪个是我的？

7. 那个不是我的是你的 。

8. 这儿是哪儿？

9. 这(那)叫什么？

10. 您贵姓？

☆ 1과 数字

숫자 (1-100까지 세기)

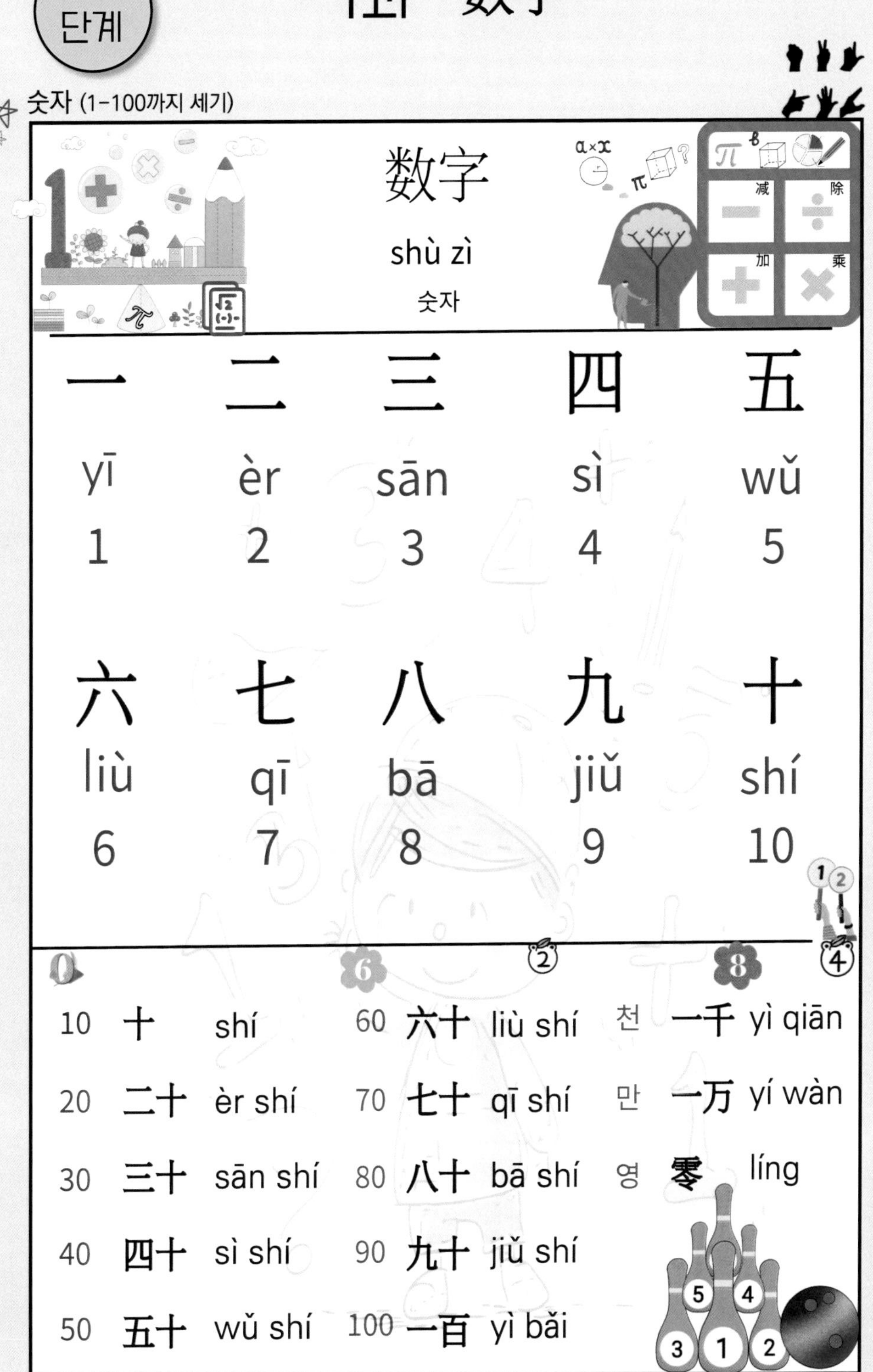

数字

shù zì

숫자

一	二	三	四	五
yī	èr	sān	sì	wǔ
1	2	3	4	5

六	七	八	九	十
liù	qī	bā	jiǔ	shí
6	7	8	9	10

10	十	shí	60	六十	liù shí	천	一千	yì qiān
20	二十	èr shí	70	七十	qī shí	만	一万	yí wàn
30	三十	sān shí	80	八十	bā shí	영	零	líng
40	四十	sì shí	90	九十	jiǔ shí			
50	五十	wǔ shí	100	一百	yì bǎi			

☆ 2과 数数

☆ 숫자세기 (손가락으로 숫자세기)

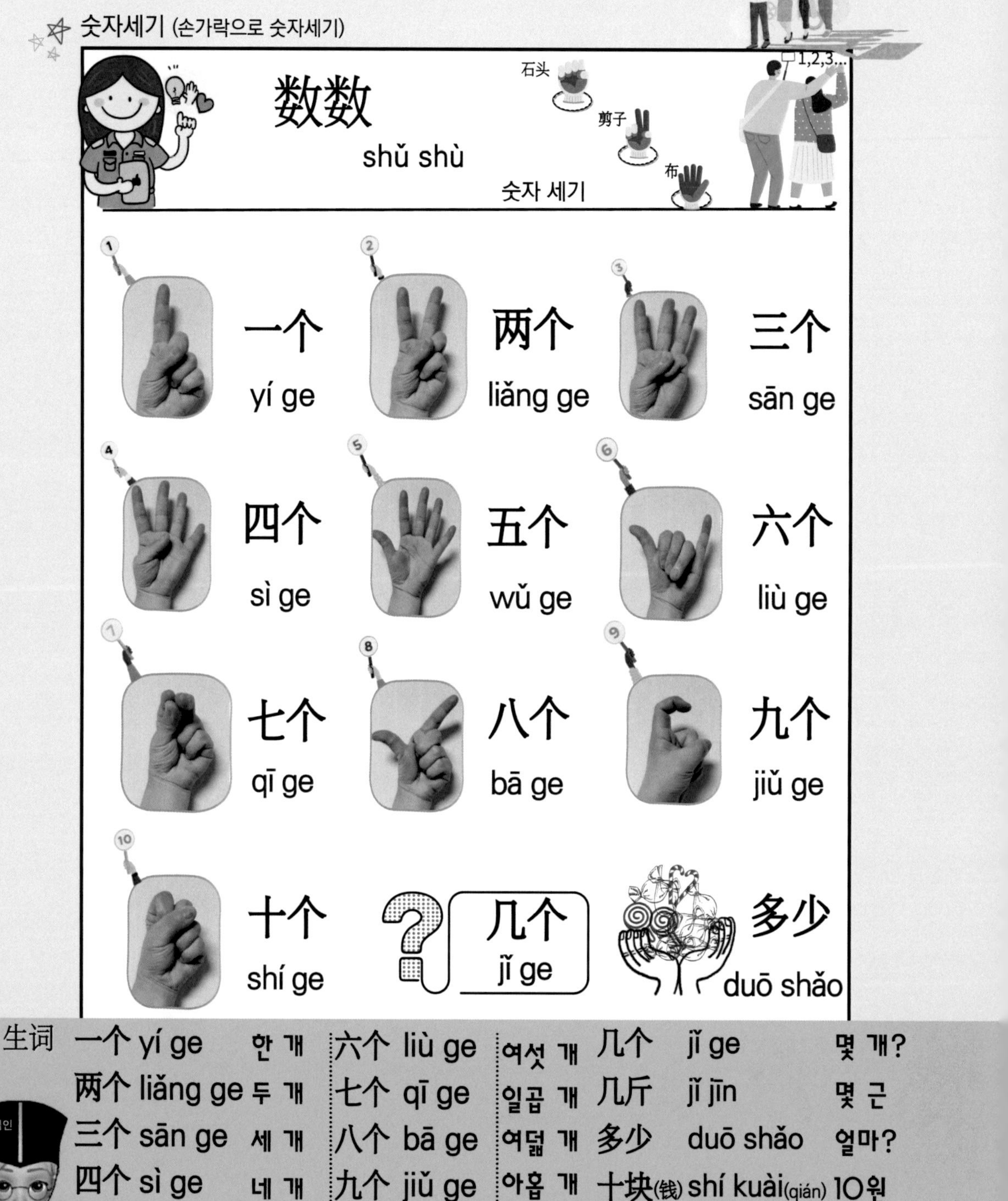

生词

一个	yí ge	한 개	六个	liù ge	여섯 개	几个	jǐ ge	몇 개?
两个	liǎng ge	두 개	七个	qī ge	일곱 개	几斤	jǐ jīn	몇 근
三个	sān ge	세 개	八个	bā ge	여덟 개	多少	duō shǎo	얼마?
四个	sì ge	네 개	九个	jiǔ ge	아홉 개	十块(钱)	shí kuài(qián)	10원
五个	wǔ ge	다섯 개	十个	shí ge	열 개	要	yào	필요하다/원하다

☆ 3과 几岁？

☆ 나이 (알아보기)

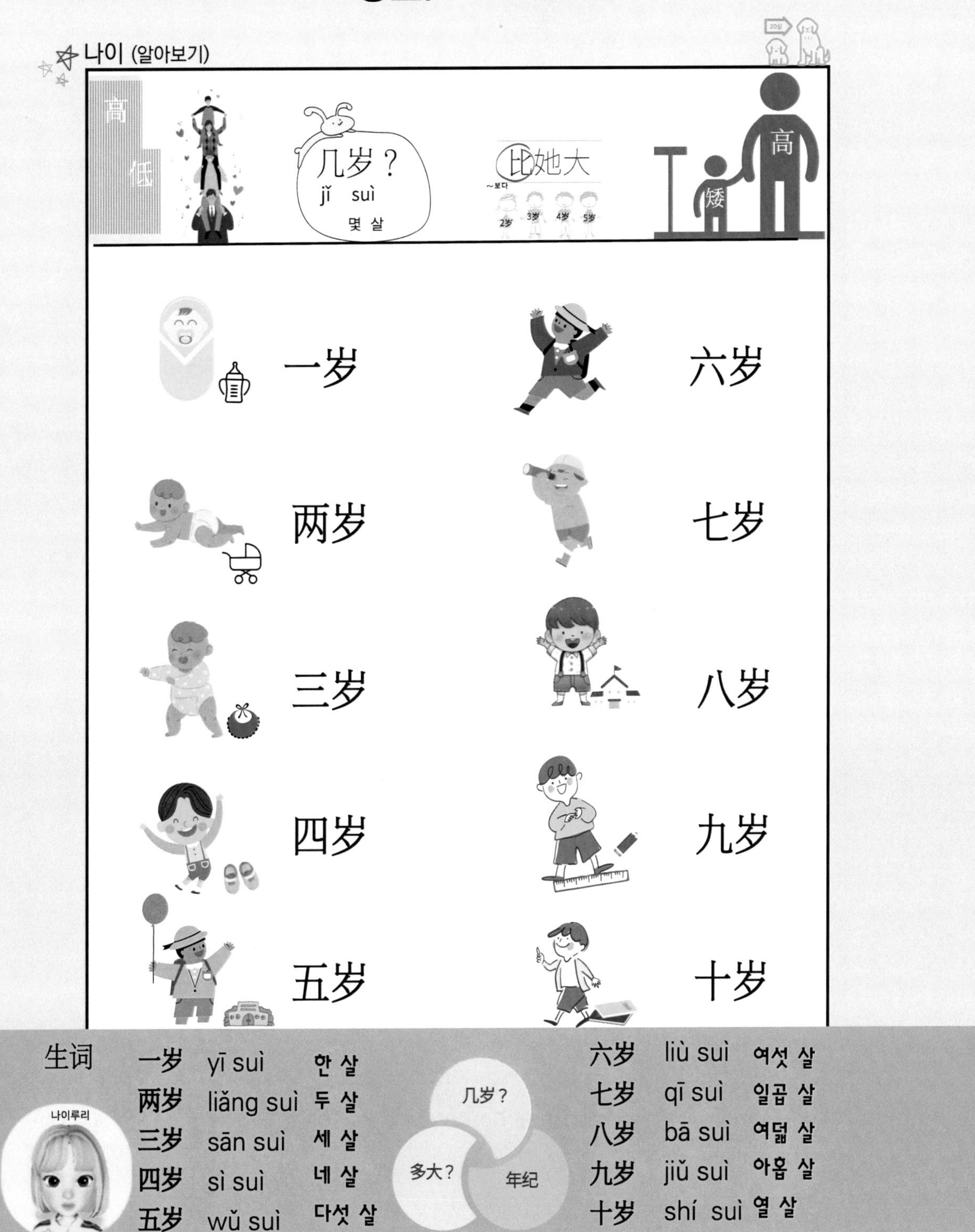

生词

一岁	yī suì	한 살	六岁	liù suì	여섯 살
两岁	liǎng suì	두 살	七岁	qī suì	일곱 살
三岁	sān suì	세 살	八岁	bā suì	여덟 살
四岁	sì suì	네 살	九岁	jiǔ suì	아홉 살
五岁	wǔ suì	다섯 살	十岁	shí suì	열 살

나이루리

几岁？ 多大？ 年纪

☆ 4과　年 / 月 / 日

☆ 년,월,일 (알아가기)

☆ 몇 년?

年	月	日	几月几号？
nián	yuè	rì	jǐ yuè jǐ hào
년	월	일	몇 월 며칠?

MONDAY TUESDAY WEDNESDAY THURSDAY FRIDAY SATURDAY

1월	一月	yī yuè	7월	七月	qī yuè
2월	二月	èr yuè	8월	八月	bā yuè
3월	三月	sān yuè	9월	九月	jiǔ yuè
4월	四月	sì yuè	10월	十月	shí yuè
5월	五月	wǔ yuè	11월	十一月	shí yī yuè
6월	六月	liù yuè	12월	十二月	shí èr yuè

01일 - 10일		11일 - 20일		21일 - 31일	
一号	yī hào	十一号	shí yī hào	二十一号	èr shí yī hào
二号	èr hào	十二号	shí èr hào	二十二号	èr shí èr hào
三号	sān hào	十三号	shí sān hào	二十三号	èr shí sān hào
四号	sì hào	十四号	shí sì hào	二十四号	èr shí sì hào
五号	wǔ hào	十五号	shí wǔ hào	二十五号	èr shí wǔ hào
六号	liù hào	十六号	shí liù hào	二十六号	èr shí liù hào
七号	qī hào	十七号	shí qī hào	二十七号	èr shí qī hào
八号	bā hào	十八号	shí bā hào	二十八号	èr shí bā hào
九号	jiǔ hào	十九号	shí jiǔ hào	二十九号	èr shí jiǔ hào
十号	shí hào	二十号	èr shí hào	三十号	sān shí hào
				三十一号	sān shí yī hào

☆ 5과 今天 / 明天

生词								
前天	qián tiān	그제	年	nián	년/해	几天？	jǐ tiān？	며칠?
昨天	zuó tiān	어제	去年	qù nián	작년	几年？	jǐ nián？	몇 년?
今天	jīn tiān	오늘	今年	jīn nián	올해	几几年？	jǐ jǐ nián？	몇 년도 ?
明天	míng tiān	내일	明年	míng nián	내년	几口人？	jǐ kǒu rén ？	몇 명(식구)
后天	hòu tiān	모레	后年	hòu nián	후년	几个人？	jǐ ge rén ？	몇 명(몇 사람)

☆ 6과 星期几？

☆ 요일 (월요일 - 일요일)

月 火 水 木 金 土 日

星期一	xīng qī yī	월요일
星期二	xīng qī èr	화요일
星期三	xīng qī sān	수요일
星期四	xīng qī sì	목요일
星期五	xīng qī wǔ	금요일
星期六	xīng qī liù	토요일
星期天(日)	xīng qī tiān (rì)	일요일

周一	周二	周三	周四	周五	周六	周日
zhōu yī	zhōu èr	zhōu sān	zhōu sì	zhōu wǔ	zhōu liù	zhōu rì

礼拜一 lǐ bài yī	礼拜二 lǐ bài èr	礼拜三 lǐ bài sān	礼拜四 lǐ bài sì	礼拜五 lǐ bài wǔ
礼拜六 lǐ bài liù	礼拜天 lǐ bài tiān	礼拜日 lǐ bài rì		

生词

星期/周/礼拜	xīng qī/ zhōu/ lǐ bài	요일
星期几？	xīng qī jǐ？	무슨 요일
周几？	zhōu jǐ？	무슨 요일
礼拜几？	lǐ bài jǐ？	무슨 요일
每天/天天	měi tiān/tiān tiān	매일
每星期	měi xīng qī	매주
每月	měi yuè	매월
每年	měi nián	매년

☆ 7과　你要几个？

숫자 총동원 (숫과 관련 회화)

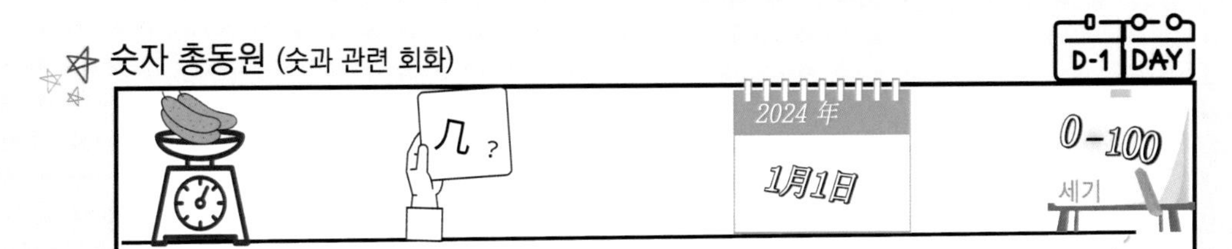

1. 你要几个？ 他要几斤？ 你要多少？

2. 你要哪个? 我要这个， 不要那个。

3. 这个多少钱？ 那个多少钱？一共多少钱？

4. 这个15块， 那个18块， 一共33块。

5. 今天几月几号？ 12月23号。

6. 明天星期几？明天星期五。

7. 11月19号是星期几？

8. 你几岁？你哥哥多大？

9. 我八岁， 我哥哥十一岁。

☆ 8과 这个星期

요일 (심화 학습)

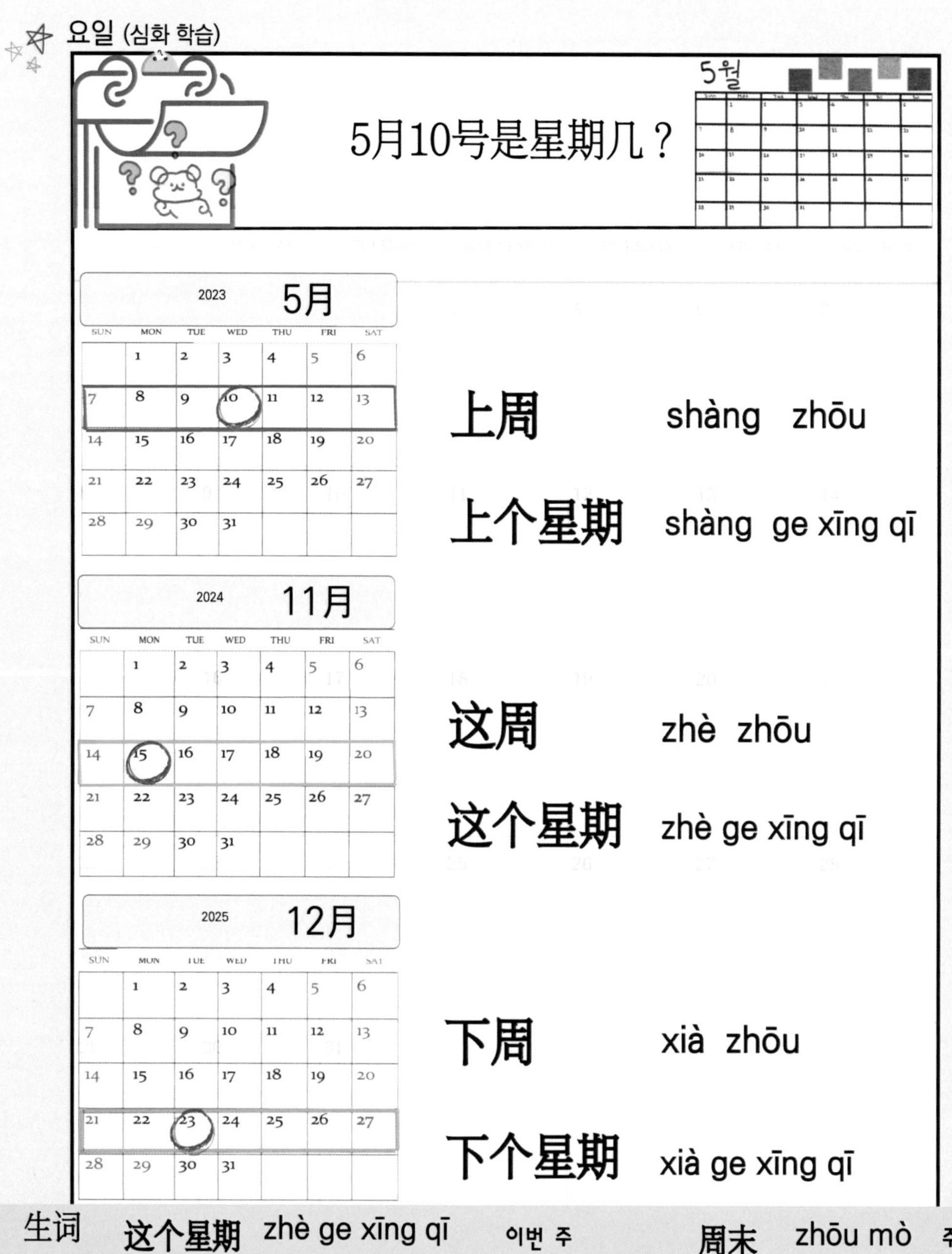

生词

这个星期	zhè ge xīng qī	이번 주	周末	zhōu mò	주말
上个星期	shàng ge xīng qī	지난 주	月末	yuè mò	월말
下个星期	xià ge xīng qī	다음 주	年末	nián mò	년말
这个月	zhè ge yuè	이번 달	月初	yuè chū	월초

☆ 9과 这个星期一是几号？

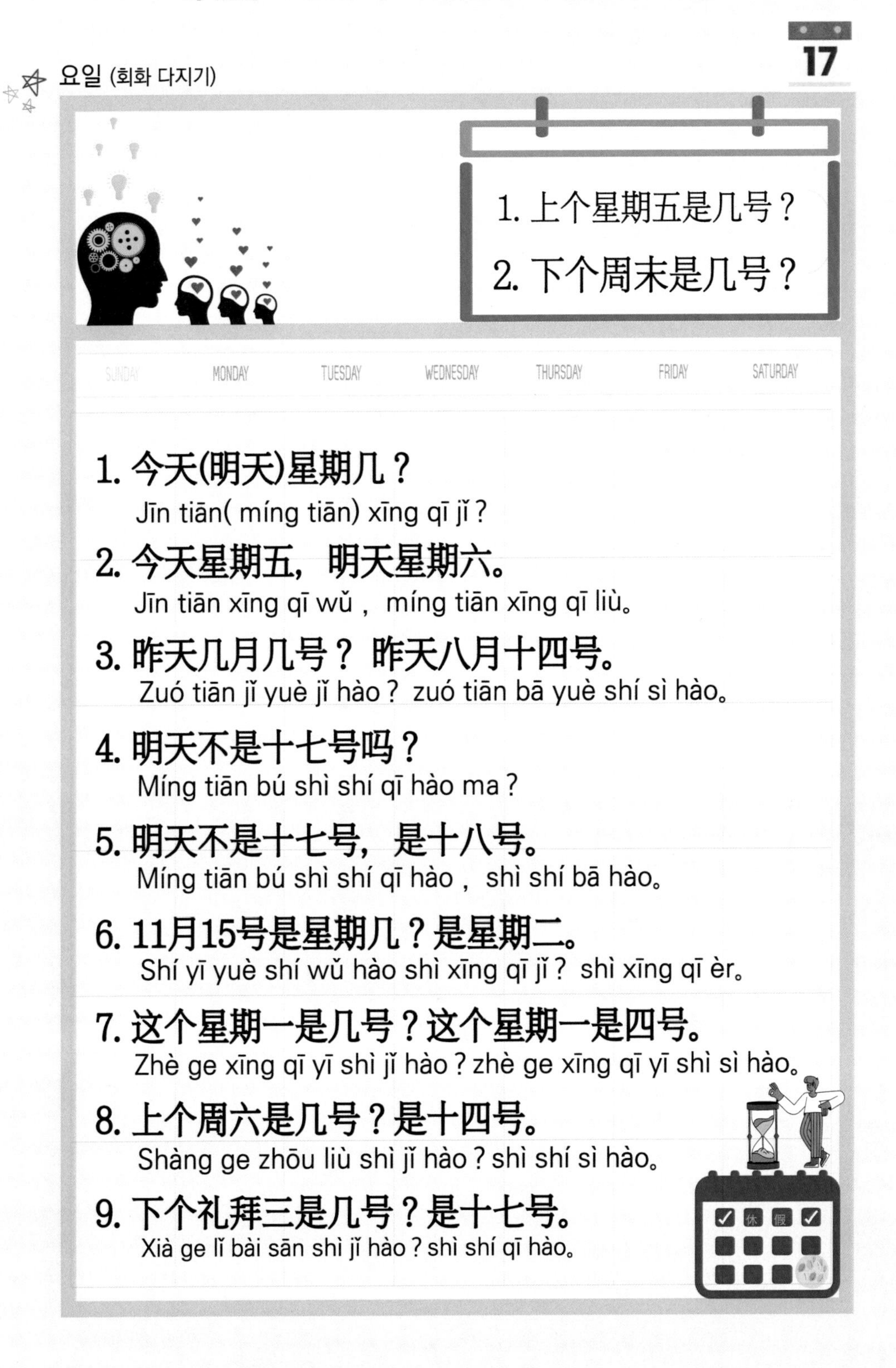

17

요일 (회화 다지기)

1. 上个星期五是几号？
2. 下个周末是几号？

SUNDAY MONDAY TUESDAY WEDNESDAY THURSDAY FRIDAY SATURDAY

1. 今天(明天)星期几？
Jīn tiān(míng tiān) xīng qī jǐ？

2. 今天星期五，明天星期六。
Jīn tiān xīng qī wǔ， míng tiān xīng qī liù。

3. 昨天几月几号？ 昨天八月十四号。
Zuó tiān jǐ yuè jǐ hào？ zuó tiān bā yuè shí sì hào。

4. 明天不是十七号吗？
Míng tiān bú shì shí qī hào ma？

5. 明天不是十七号，是十八号。
Míng tiān bú shì shí qī hào， shì shí bā hào。

6. 11月15号是星期几？是星期二。
Shí yī yuè shí wǔ hào shì xīng qī jǐ？ shì xīng qī èr。

7. 这个星期一是几号？这个星期一是四号。
Zhè ge xīng qī yī shì jǐ hào？zhè ge xīng qī yī shì sì hào。

8. 上个周六是几号？是十四号。
Shàng ge zhōu liù shì jǐ hào？shì shí sì hào。

9. 下个礼拜三是几号？是十七号。
Xià ge lǐ bài sān shì jǐ hào？shì shí qī hào。

4 단계

☆ 1과 什么节？

☆ 명절 (새 단어)

生日
shēng rì

圣诞节
shèng dàn jié

元旦
yuán dàn

情人节
qíng rén jié

春节
chūn jié

国庆节
guó qìng jié

中秋节
zhōng qiū jié

端午节
duān wǔ jié

儿童节
ér tóng jié

纪念日
jì niàn rì

生词

什么节？	shén me jié？	무슨 명절(날)	生日	shēng rì	생일
元旦	yuán dàn	원단	圣诞节	shèng dàn jié	성탄절
春节	chūn jié	춘절	白色（情人节)	qíng rén jié	화이트데이(발렌타인데이
中秋节	zhōng qiū jié	추석	国庆节	guó qìng jié	국경절
劳动节5.1	láo dòng jié	노동절	端午节	duān wǔ jié	단오

☆ 2과 几月几号是儿童节？

명절 날 (음식도 함께 알아보기)

N	MON	TUE	WED	THU	FRI	SAT
1 元旦 신정	2	3	4	5 儿童节 어린이날	6	7
8	9	10	11	12	13	14 발렌타인데이 情人节
15	16	17	18	생일 19 生日	20 섣달 그믐날 除夕	21 春节 설날
22	23 휴일 假日	24 公休日 공휴일	25	26	27	28
29	30	31				만우절 : 4.1 愚人节

SUN	MON	TUE	WED	THU	FRI	SAT
1 10.1 국경절 国庆节	2	3	4 청명 清明	5 단오 端午节	6	7
8 부녀절 女神节	9	10	11 빼빼로 데이 光棍节	12	13	14
15 元宵节 대보름 正月十五	16	17	18	19	20	21
22	23	24 크리스마스 이브 平安夜	25 크리스마스 圣诞节	26	27	28
29	30	31				

☆ 3과 一天 / 两天

시간사 (회화 다져가기)

1个小时

半个小时后

yì tiān
一天

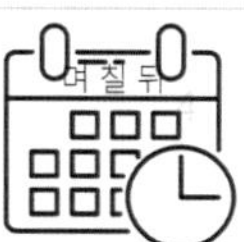

guò jǐ tiān
过几天

liǎng tiān
两天

zhè liǎng tiān
这两天

sān tiān
三天

qián liǎng tiān
前两天

sì tiān
四天

liǎng tiān hòu
两天后

dī yī tiān
第一天

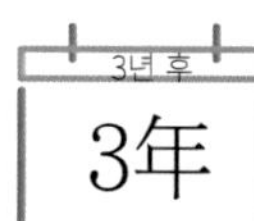

sān nián hòu
三年后

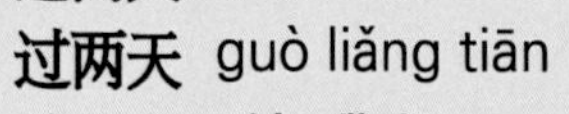

生词

这两天	zhè liǎng tiān	이(요) 며칠
过两天	guò liǎng tiān	며칠 뒤
前几天	qián jǐ tiān	며칠 전
两天前	liǎng tiān qián	이틀 전
第二天	dī èr tiān	이튿 날/ 다음 날
这几天	zhè jǐ tiān	요 며칠/요즘
过几天	guò jǐ tiān	며칠 뒤
十年前	shí nián qián	10년 전
几天前	jǐ tiān qián	며칠 전
一个月后	yí ge yuè hòu	한 달 뒤

☆ 4과 你的生日是几月几号？

기념일 관련 (회화 다지기)

1. 几月几号是元旦？ 1月1号是元旦。
Jǐ yuè jǐ hào shì yuán dàn？ yī yuè yī hào shì yuán dàn。

2. 韩国的儿童节是五月五号，中国呢？ (6.1)
Hán guó de ér tóng jié shì wǔ yuè wǔ hào，zhōng guó ne?

3. 明天是中秋节吗？不是，是后天。
Míng tiān shì zhōng qiū jié ma？ bú shì，shì hòu tiān 。

4. 谁知道12月25号是什么节？
Shuí zhī dào shí èr yuè èr shí wǔ hào shì shén me jié ？

5. 过几天是春节？三天后是春节。
Guò jǐ tiān shì chūn jié？ sān tiān hòu shì chūn jié。

6. 几天后是劳动节？两天后就是。
Jǐ tiān hòu shì láo dòng jié？ liǎng tiān hòu jiù shì。

7. 这是我五岁的时候照的全家福。
Zhè shì wǒ wǔ suì de shí hou zhào de quán jiā fú。

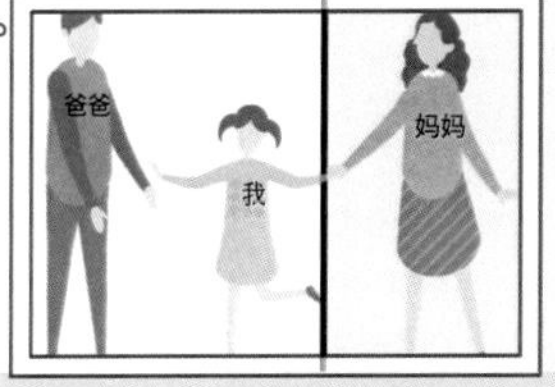

8. 听说过几天是你的生日，是吗？
Tīng shuō guò jǐ tiān shì nǐ de shēng rì ，shì ma？

生词

照片	zhào piàn	사진	听说	tīng shuō	듣자하니...
全家福	quán jiā fú	가족사진	知道/不知道	zhī dào/bù zhī dào	알다/모르다
照相	zhào xiàng	사진을 찍다	认识/不认识	rèn shi/bú rèn shi	알다/모르다(인식)
礼物	lǐ wù	선물	什么时候	shén me shí hou	언제
接/送	jiē/ sòng	받다/보내다,주다	…… 的时候	…… de shí hou	~일때，~할때

☆ 5과 你想当什么？

직업 (회화 다지기)

1. 我是小学老师， 你想当什么?
   Wǒ shì xiǎo xué lǎo shī , nǐ xiǎng dāng shén me ?
2. 我也想当老师。
   Wǒ yě xiǎng dāng lǎo shī。
3. 听说你想当总统？是吗？是的， 你呢?
   Tīng shuō nǐ xiǎng dāng zǒng tǒng？ shì ma？shì de,nǐ ne?
4. 我是大学生， 你也是大学生吗？
   Wǒ shì dà xué shēng , nǐ yě shì dà xué shēng ma？
5. 我不是大学生是研究生。
   Wǒ bú shì dà xué shēng shì yán jiū shēng。
6. 我和他是小学同学。
   Wǒ hé tā shì xiǎo xué tóng xué。
7. 他哥哥是高中生， 我哥哥是初中生。
   Tā gē ge shì gāo zhōng shēng , wǒ gē ge shì chū zhōng shēng。
8. 我妹妹和他是同班同学。
   Wǒ mèi mei hé tā shì tóng bān tóng xué。

生词

小学	xiǎo xué	초등학교	总统	zǒng tǒng	대통령
中学/初中	zhōng xué / chū zhōng	중학교	厨师	chú shī	요리사
高中	gāo zhōng	고등학교	公司职员	gōng sī zhí yuán	회사직원
大学	dà xué	대학교	校长	xiào zhǎng	교장
学生	xué sheng	학생	教授	jiào shòu	교수
同班同学	tóng bān tóng xué	같은반 친구	想当	xiǎng dāng	~되고 싶다

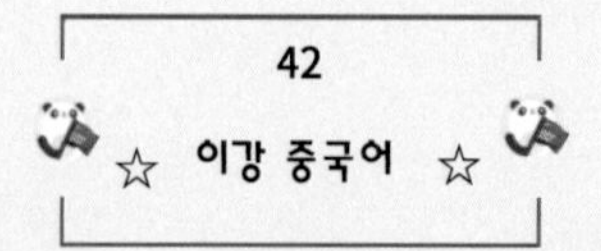

☆ 6과 现在几点？

시계 (시계 보기)

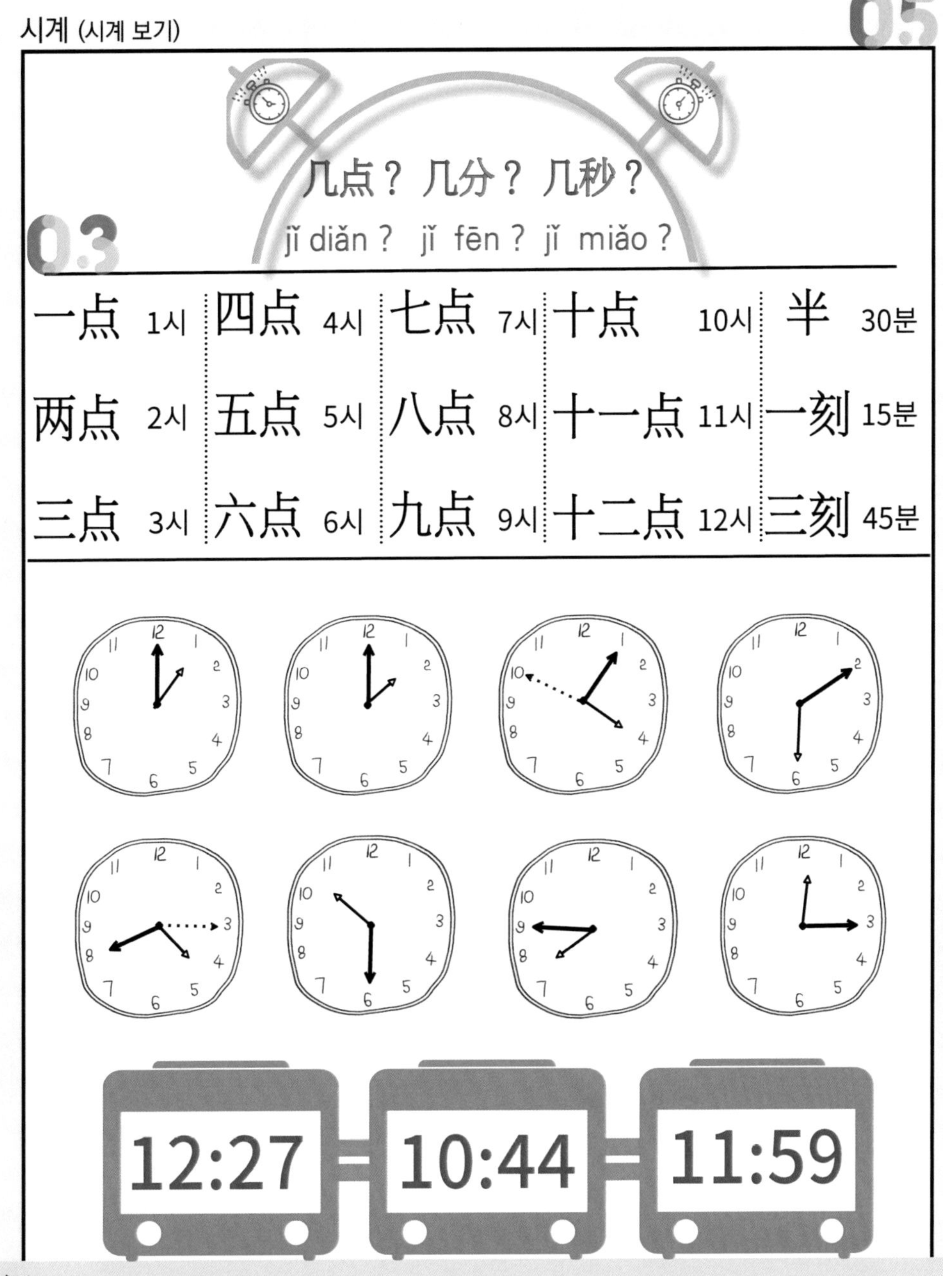

一点 1시	四点 4시	七点 7시	十点 10시	半 30분
两点 2시	五点 5시	八点 8시	十一点 11시	一刻 15분
三点 3시	六点 6시	九点 9시	十二点 12시	三刻 45분

生词

现在	xiàn zài	지금	一刻	yí kè	일각 / 15분
点	diǎn	시	三刻	sān kè	삼각 / 45분
分	fēn	분	半	bàn	반 / 30분
秒	miǎo	초	差	chà	부족하다/모자라다

早上好！ Morning

☆7과 现在差五分两点

시계 (시간 관련 회화)

现在四点三十七分

xiàn zài sì diǎn sān shí qī fēn

1. 现在几点？ 现在是下午两点。

Xiàn zài jǐ diǎn？ xiàn zài shì xià wǔ liǎng diǎn。

2. 现在不是一点吗？什么呀? 快三点半了。

Xiàn zài bú shì yī diǎn ma？ shén me ya? kuài sān diǎn bàn le。

3. 现在差五分十点了。

Xiàn zài chà wǔ fēn shí diǎn le。

4. 现在差一刻九点。

Xiàn zài chà yí kè jiǔ diǎn。

5. 现在是六点三刻。

Xiàn zài shì liù diǎn sān kè。

6. 现在十点半。你的手表慢了。

Xiàn zài shí diǎn bàn。nǐ de shǒu biǎo màn le。

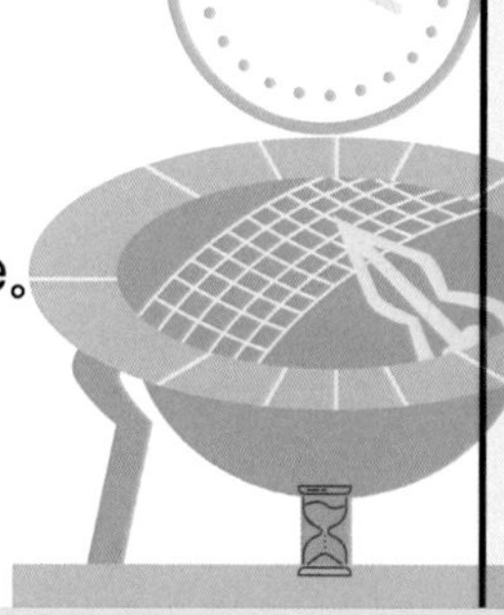

7. 差十分四点是几点？

Chà shí fēn sì diǎn shì jǐ diǎn？

生词

快……了	kuài……le	곧 ~이다
还	hái / huán	아직,더, 또/갚다
快 / 慢	kuài / màn	빠르다/느리다
大 / 小	dà / xiǎo	크다/작다
新 / 旧	xīn / jiù	새롭다/낡다

上午	shàng wǔ	오전
中午	zhōng wǔ	점오
下午	xià wǔ	오후
早上	zǎo shang	아침
晚上	wǎn shang	저녁

☆ 1과 水果 1

과일 (1)

水果

shuǐ guǒ

苹果
píng guǒ

橘(桔子)
jú zi

芒果
máng guǒ

橙子
chéng zi

西瓜
xī guā

桃子
táo zi

香瓜
xiāng guā

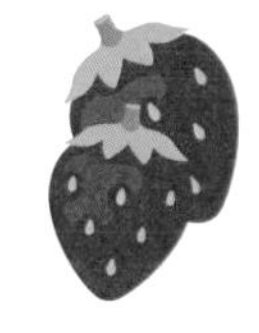

草莓
cǎo méi

香蕉
xiāng jiāo

蓝莓
lán méi

葡萄
pú táo

梨
lí

☆ 2과 水果 2

과일 (2)

樱桃 yīng táo	哈密瓜 hā mì guā
枝荔 lì zhī	猕猴桃 mí hóu táo
李子 lǐ zi	榴莲 liú lián
西红柿 xī hóng shì	菠萝 bō luó
石榴 shí liú	柠檬 níng méng
火龙果 huǒ lóng guǒ	柿子 shì zi

☆ 3과 吃不吃？

동사 (기본단계)

동사 (吃) 의 변동

没吃	正在吃呢	吃了
没吃过	在吃呢	吃过(了)
没吃吗?	不吃	吃了吗？
没吃过吗?	不吃吗？	吃过吗？

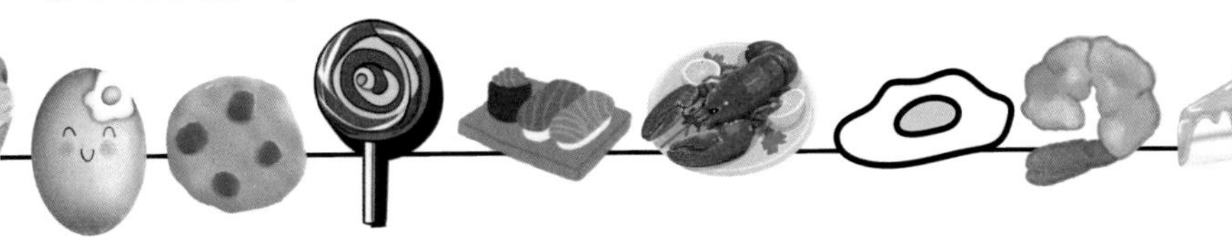

吃　不吃　不吃吗？　吃不吃？

喜欢吃　喜欢吃吗？　不喜欢吃吗？

爱吃　爱吃吗？　不爱吃吗？

想吃　不想吃　想吃吗？/ 想不想吃？

要吃　不要吃　要吃吗？/ 要不要吃？

☆ 4과 你喜欢吃什么？

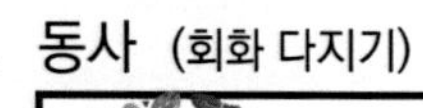

동사 (회화 다지기)

1. 这是什么水果？ 这是苹果。

2. 我不吃这个，吃那个。

3. 你想吃什么水果？

4. 我想吃草莓，你呢？ 我想吃梨。

5. 我哥哥喜欢吃西瓜。

6. 我姐姐不爱吃桃子。

7. 香蕉在那儿，你吃吧。

生词

吃呢	chī ne	먹고 있다	怎么？	zěn me ？	어떻게/어째서/왜
吃吧	chī ba	먹어라	怎么样？	zěn me yàng ？	어때?
喜欢吃	xǐ huān chī	먹는 것을 좋아한다	不怎么样	bù zěn me yàng	별로 좋지 않다
爱吃	ài chī	먹는 것을 좋아한다	怎么办？	zěn me bàn ？	어떻게 하지?
够了	gòu le	충분하다/됐다	怎么吃？	zěn me chī ？	어떻게 먹어?

☆ 5과 你吃过吗？

☆ 동사 (동사 활용 회화 넓히기)

蔬菜沙拉

你吃过这个吗？

Nǐ chī guò zhè ge ma？

1. **你吃过这个水果吗？ 没吃过。你呢？**
   Nǐ chī guò zhè ge shuǐ guǒ ma？ méi chī guò。nǐ ne？
2. **我们也没吃过。好不好吃？**
   Wǒ men yě méi chī guò 。hǎo bu hǎo chī ？
3. **我现在什么也不想吃。**
   Wǒ xiàn zài shén me yě bù xiǎng chī 。
4. **他弟弟吃了三个苹果。**
   Tā dì di chī le sān ge píng guǒ 。
5. **爷爷在吃哈密瓜呢。**
   Yé ye zài chī hā mì guā ne 。
6. **我不喜欢吃菠萝。**
   Wǒ bù xǐ huān chī bō luó 。

生词

蔬菜	shū cài	야채	好吃	hǎo chī	맛있다
黄瓜	huáng guā	오이	不好吃	bù hǎo chī	맛 없다
茄子	qié zi	가지	好不好吃？	hǎo bu hǎo chī ？	맛있어?
辣椒	là jiāo	고추	吃饱了	chī bǎo le	배부르다
什么也……	shén me yě……	아무것도~	饿	è	배고프다/굶다

☆ 6과 颜色

☆ 색상

糖葫芦

颜	yán	色	sè

红色 hóng sè	粉红色 fěn hóng sè
黄色 huáng sè	橙色 chéng sè
蓝色 lán sè	紫色 zǐ sè
绿色 lǜ sè	灰色 huī sè
黑色 hēi sè	棕色 zōng sè
白色 bái sè	什么颜色？ shén me yán sè？

무슨 색상？

☆ 7과 这是什么颜色？

색상 (회화 다지기)

你喜欢什么颜色？

Nǐ xǐ huān shén me yán sè？

1. **橙子是什么颜色？是橙色。桔子呢？**
   Chéng zi shì shén me yán sè？ shì chéng sè。jú zi ne？
2. **你喜欢粉色吧? 我不喜欢粉红色，你呢？**
   Nǐ xǐ huān fěn sè ba? wǒ bù xǐ huān fěn hóng sè，nǐ ne？
3. **你喜不喜欢紫色？我喜欢棕色。**
   Nǐ xǐ bu xǐ huān zǐ sè？ wǒ xǐ huān zōng sè。
4. **那个白色的是什么？**
   Nà ge bái sè de shì shén me？
5. **你尝一下黄色苹果，怎么样？好吃吗？**
   Nǐ cháng yí xià huáng sè píng guǒ，zěn me yàng？hǎo chī ma？
6. **你知道我喜欢什么颜色吗？我怎么知道。**
   Nǐ zhī dào wǒ xǐ huān shén me yán sè ma？ wǒ zěn me zhī dào。
7. **我不要灰色的，要黑色的。**
   Wǒ bú yào huī sè de，yào hēi sè de。

生词

尝一尝	cháng yi cháng	맛보다	不错	bú cuò	괜찮다, 좋다
尝一下	cháng yí xià	"	还行	hái xíng	그런대로 괜찮다
尝尝	cháng chang	"	还可以	hái kě yǐ	웬만하다
太……了	tài…… le	너무 ~하다	很香	hěn xiāng	냄새 좋다/맛있다

☆8과 动物

☆ 동물 (12띠 동물)

动物
dòng wù

12띠

老鼠 lǎo shǔ

牛 niú

老虎 lǎo hǔ

兔子 tù zi

龙 lóng

蛇 shé

马 mǎ

羊 yáng

猴子 hóu zi

鸡 jī

狗 gǒu

猪 zhū

这是什么动物？

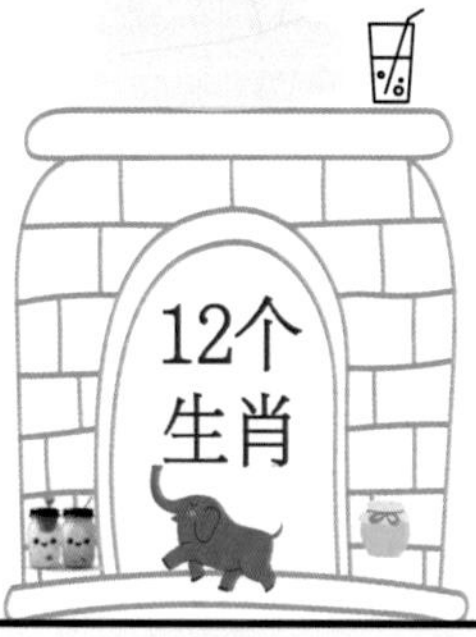

12个生肖

☆ 9과 你属什么？

12띠 (띠 회화)

我属狗。

Wǒ shǔ gǒu。

1. 你哥哥属什么？ 他属鼠。
   Nǐ gē ge shǔ shén me ？ tā shǔ shǔ。
2. 那是什么肉串儿？ 鸡肉串儿。
   Nà shì shén me ròu chuànr？ jī ròu chuànr。
3. 这是什么肉？ 这是牛肉。
   Zhè shì shén me ròu？ zhè shì niú ròu 。
4. 你吃不吃狗肉？我不吃。
   Nǐ chī bu chī gǒu ròu？ wǒ bù chī。
5. 你吃过羊肉串儿吗？没吃过。
   Nǐ chī guò yáng ròu chuànr ma？méi chī guò。
6. 你昨天中午吃什么肉了？
   Nǐ zuó tiān zhōng wǔ chī shén me ròu le？
7. 我晚上吃猪肉了，没吃牛肉。
   Wǒ wǎn shang chī zhū ròu le，méi chī niú ròu 。
8. 他不吃鸡肉，吃鸭肉。我没吃过马肉。
   Tā bù chī jī ròu，chī yā ròu。wǒ méi chī guò mǎ ròu 。

生词

串儿	chuànr	꼬치
鸭肉	yā ròu	오리고기
鹅肉	é ròu	거위고기
驴肉	lǘ ròu	당나귀고기
鱼肉	yú ròu	물고기

熊猫	xióng māo	판다
大象	dà xiàng	코끼리
狮子	shī zi	사자
长颈鹿	cháng jǐng lù	기린
小猫	xiǎo māo	고양이

6 단계 ☆ 1과 东西南北

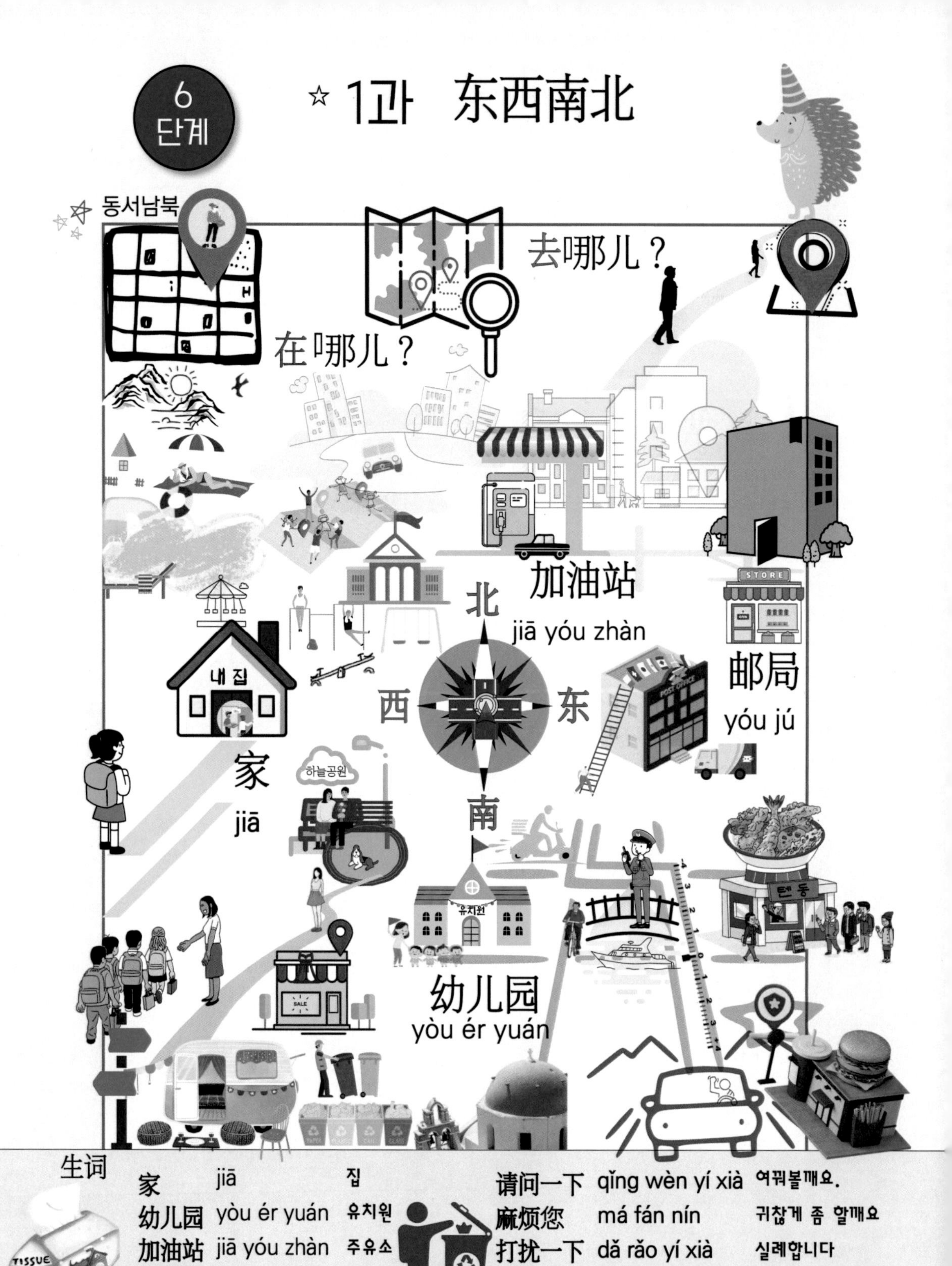

生词

家	jiā	집	请问一下	qǐng wèn yí xià	여쭤볼께요.
幼儿园	yòu ér yuán	유치원	麻烦您	má fán nín	귀찮게 좀 할께요
加油站	jiā yóu zhàn	주유소	打扰一下	dǎ rǎo yí xià	실례합니다
邮局	yóu jú	우체국	怎么走？	zěn me zǒu ？	어떻게 가나요?

☆ 2과 地点 1

장소 1

学校
xué xiào

饭店
fàn diàn

补习班
bǔ xí bān

快餐店
kuài cān diàn

咖啡店
kā fēi diàn

洗手间 (厕所)
xǐ shǒu jiān
(cè suǒ)

面包店
miàn bāo diàn

书店
shū diàn

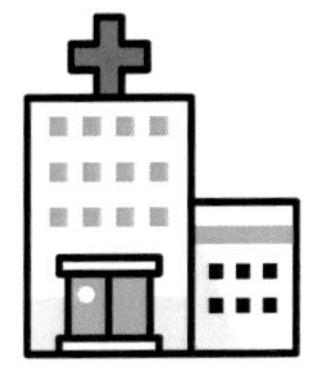

医院
yī yuàn

图书馆
tú shū guǎn

药店
yào diàn

朋友家
péng you jiā

生词

学校	xué xiào	학교	饭店	fàn diàn	식당
补习班	bǔ xí bān	학원	快餐店	kuài cān diàn	패스트푸드
咖啡店	kā fēi diàn	커피숍	洗手间	xǐ shǒu jiān	화장실
面包店	miàn bāo diàn	빵집	书店	shū diàn	서점
医院	yī yuàn	병원	图书馆	tú shū guǎn	도서관
药店	yào diàn	약국	朋友家	péng you jiā	친구 집

☆ 3과 地点 2

장소 2

飞机场
fēi jī chǎng

宾馆
bīn guǎn

超市
chāo shì

电影院
diàn yǐng yuàn

公司
gōng sī

水果店
shuǐ guǒ diàn

便利店
biàn lì diàn

百货商店
bǎi huò shāng diàn

游乐场
yóu lè chǎng

银行
yín háng

动物园
dòng wù yuán

免税店
miǎn shuì diàn

生词

飞机场	fēi jī chǎng	공항	宾馆	bīn guǎn	호텔
超市	chāo shì	슈퍼마켓	电影院	diàn yǐng yuàn	영화관
公司	gōng sī	회사	水果店	shuǐ guǒ diàn	과일가게
便利店	biàn lì diàn	편의점	百货商店	bǎi huò shāng diàn	백화점
游乐场	yóu lè chǎng	놀이동산	银行	yín xíng	은행
动物园	dòng wù yuán	동물원	免税店	miǎn shuì diàn	면세점

☆ 4과 你去哪儿？

☆ 장소 (~에 간다) 회화다지기

你去哪儿了？

Nǐ qù nǎr le ?

1. 你去 哪儿？ 我去图书馆。你去不去？
   Nǐ qù nǎr？ wǒ qù tú shū guǎn。nǐ qù bu qù？
2. 昨天你去哪儿了? 我没去 哪儿啊。
   Zuó tiān nǐ qù nǎr le？ wǒ méi qù nǎr a。
3. 你想去哪儿? 我想去便利店。
   Nǐ xiǎng qù nǎr ？ wǒ xiǎng qù biàn lì diàn。
4. 我不想去电影院，你自己去吧。
   Wǒ bù xiǎng qù diàn yǐng yuàn， nǐ zì jǐ qù ba。
5. 我们明天要去新世界百货店，你去不？
   Wǒ men míng tiān yào qù xīn shì jiè bǎi huò diàn， nǐ qù bu？
6. 我 哪儿也不想去。你们去吧。
   Wǒ nǎr yě bù xiǎng qù。nǐ men qù ba。
7. 你去过几次游乐场？去过很多次。
   Nǐ qù guò jǐ cì yóu lè chǎng？qù guò hěn duō cì。

生词

生词	拼音	뜻	生词	拼音	뜻
不好意思	bù hǎo yì si	미안합니다	**几次？**	jǐ cì ？	몇 번？
抱歉	bào qiàn	미안해요	**两次**	liǎng cì	두 번
没事儿	méi shìr	괜찮아요	**第一次**	dì yí cì	처음
别客气	bié kè qi	사양하지 마세요	**头一回**	tóu yì huí	처음
不用谢	bú yòng xiè	감사할 것 없어요	**很多次**	hěn duō cì	여러 번

头一次

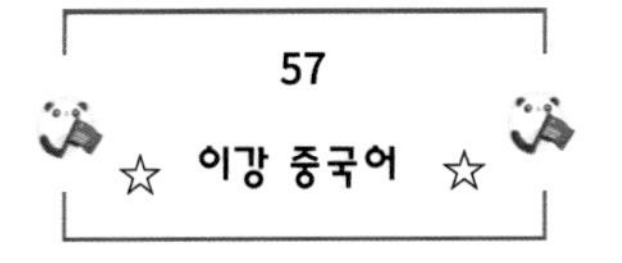

☆ 5과　你在哪儿？

장소 (어떤 장소에 있다) 회화 다지기

你到哪儿了？

nǐ dào nǎr le？

1. 我在学校，你现在在哪儿？

2. 我在书店。 你找我有什么事儿吗？

3. 你在哪个图书馆？ 我不在图书馆，在家呢。

4. 我在看书呢。你现在在做什么？

5. 我在药店买药呢。你在哪儿？

6. 我在机场一会儿就到你们公司了。

7. 你什么时候到快餐店? 5点左右到。

1호선

出发了。　这一站　下一站　到站了。

生词

生词			生词		
在……	zài……	~하고 있는 중/ ~에 있다	附近	fù jìn	근처
找	zhǎo	찾다	最近	zuì jìn	최근
什么事儿？	shén me shìr？	무슨 일?	离…远/近	lí……yuǎn/ jìn	~에서 멀다/가깝다
什么地方？	shén me dì fang？	어느 곳?	从…到	cóng……dào	~에서~까지
什么时候？	shén me shí hou？	언제?	用	yòng	사용하다
怎么回事？	zěn me huí shì	어떻게 된 거야?	多长?	duō cháng	얼마나?

☆ 6과 交通工具

☆ 교통수단 (단어 학습)

飞机
fēi jī

自行车
zì xíng chē

船
chuán

摩托车
mó tuō chē

出租车
chū zū chē

货车
huò chē

火车
huǒ chē

吉普车
jí pǔ chē

地铁
dì tiě

救护车
jiù hù chē

高铁
gāo tiě

消防车
xiāo fáng chē

公共汽车

gōng gòng qì chē

警车
jǐng chē

☆ 7과 你喜欢坐什么车？

교통수단 (심화 회화 1)

我喜欢骑马。

wǒ xǐ huān qí mǎ。

1. **你喜欢坐飞机吗？不喜欢。**
   Nǐ xǐ huān zuò fēi jī ma ? bù xǐ huān 。
2. **你姐姐坐过船吗？她没坐过。**
   Nǐ jiě jie zuò guò chuán ma ? tā méi zuò guò。
3. **你想不想坐火车? 我不想坐。**
   Nǐ xiǎng bu xiǎng zuò huǒ chē? wǒ bù xiǎng zuò。
4. **你坐地铁了吗？坐了，半个小时后就到。**
   Nǐ zuò dì tiě le ma ? zuò le , bàn ge xiǎo shí hòu jiù dào。
5. **你能骑摩托车吗？能骑。**
   Nǐ néng qí mó tuō chē ma ? néng qí。
6. **你朋友会骑自行车吗？他不会骑。**
   Nǐ péng you huì qí zì xíng chē ma ? tā bú huì qí。
7. **你骑过马吗？小时候骑过几次。**
   Nǐ qí guò mǎ ma ? xiǎo shí hou qí guò jǐ cì。
8. **你是坐什么来的？**
   Nǐ shì zuò shén me lái de ?

就到 바로 도착

生词						
坐	zuò	타다/앉다	上 / 下边	shàng / xià biān	상/하쪽
骑	qí	타다(기마자세)	左 / 右边	zuǒ / yòu biān	좌/우쪽
会	huì	...할 줄 안다	前 / 后边	qián / hòu biān	앞/뒤쪽
能	néng	...할 수 있다	里 / 外边	lǐ /wài biān	안/바깥쪽
请坐	qǐng zuò	앉으세요	旁边	páng biān	옆면/곁

电池

斜面

☆ 8과 你什么时候去中国？

교통수단 (심화 회화 2)

你坐什么去首尔？

开车

nǐ zuò shén me qù shǒu ěr ？

1. 下个星期三你坐什么去釜山？

Xià ge xīng qī sān nǐ zuò shén me qù fǔ shān ？

2. 上次坐火车去的，这次打算坐高铁去。

Shàng cì zuò huǒ chē qù de，zhè cì dǎ suàn zuò gāo tiě qù。

3. 打扰一下，北京大学怎么走？

Dǎ rǎo yí xià，běi jīng dà xué zěn me zǒu？

4. 不好意思，我也不知道。

Bù hǎo yì si。, wǒ yě bù zhī dào。

5. 从这儿到上海站远不远？不太远。

Cóng zhèr dào shàng hǎi zhàn yuǎn bu yuǎn？ bú tài yuǎn。

6. 问一下，北京站离这儿近吗？

Wèn yí xià，běi jīng zhàn lí zhèr jìn ma？

生词

首尔站	Shǒu ěr zhàn	서울역	不坐 / (骑)	bú zuò/ bù qí	안 앉아,(안타) /안 올라타
釜山	Fǔ shān	부산	没坐 / (骑)	méi zuò/ (qí)	안 앉았어(안탔어) / 안 올라탔어
北京	Běi jīng	북경	坐 / (骑)过	zuò/ (qí) guò	앉아봤어(타봤어) / 올라탔봤어
上海	Shàng hǎi	상해	坐 / (骑)了	zuò/ (qí) le	앉았어(탔어) /올라탔어
打算	dǎ suàn	....할 계획이다	坐 / (骑)吧	zuò/ (qí) ba	앉아라(타라) /올라타라

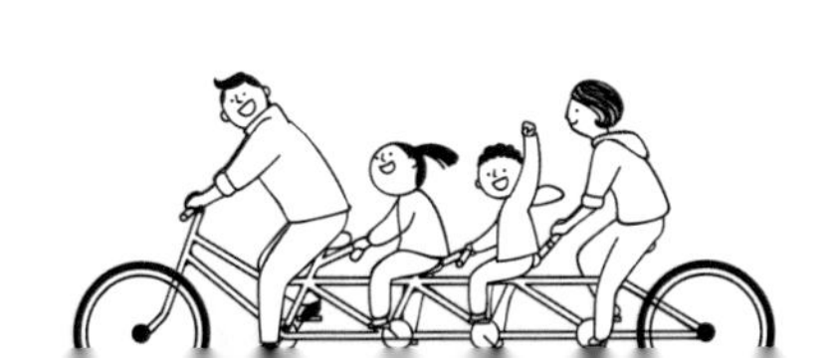

☆9과 快下来，我在这儿。

☆ 방향 (방위사)

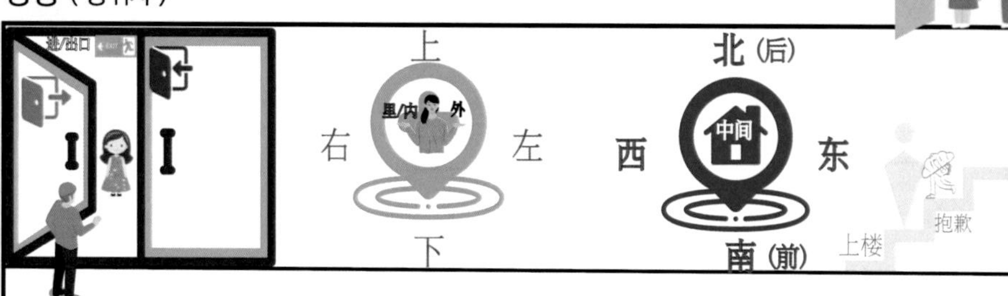

1. **我在这儿，快上来 / 下来。**
   Wǒ zài zhèr ， kuài shàng lai / xià lai 。
2. **进来！您找谁？**
   Jìn lai ！ nín zhǎo shuí ？
3. **回来！这是你的，拿走。**
   Huí lai ！ zhè shì nǐ de ， ná zǒu 。
4. **起来！起来！**
   Qǐ lai ！ qǐ lai ！
5. **往前走100米就到。**
   Wǎng qián zǒu yì bǎi mǐ jiù dào 。
6. **前边有十字路口，向右拐就到。**
   Qián biān yǒu shí zì lù kǒu , xiàng yòu guǎi jiù dào 。

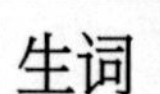

生词

往前走	wǎng qián zǒu	앞으로 가	上 / 下来	shàng / xià (lai)	올라와/내려와
向右看	xiàng yòu kàn	오른쪽으로 봐	上 / 下去	shàng / xià (qu)	올라가/내려가
向左拐	xiàng zuǒ guǎi	좌회전하다	出 / 进来	chū / jìn (lai)	나와/들어와
直走	zhí zǒu	직진하다	出 / 进去	chū / jìn (qu)	나가/들어가
十字路口	shí zì lù kǒu	사거리	回来 / 去	huí lai/ huí qu	돌아와/돌아가
三岔路口	sān chà lù kǒu	삼거리	起来	qǐ lai	일어나/비켜

☆ 1과 身体部位 1

인체 (신체 부위 1)

	眼睛 yǎn jīng		头 tóu
	鼻子 bí zi	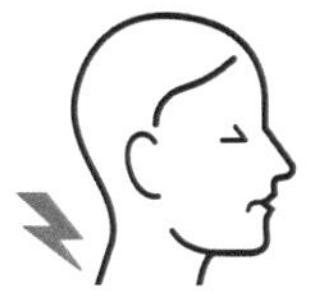	脖子 bó zi
	嘴 zuǐ		肩膀 jiān bǎng
	耳朵 ěr duō		胳膊 gē bo
	眉毛 méi mao		腿 tuǐ
	睫毛 jié máo		手 shǒu
	额头 é tóu		脚 jiǎo
	下巴 xià ba		手掌 shǒu zhǎng

☆ 2과 身体部位 2

☆ 인체 (신체 부위 2)

脸
liǎn

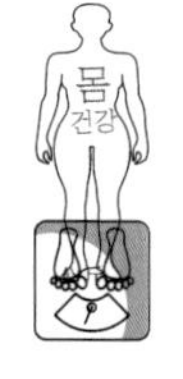

身体
shēn tǐ

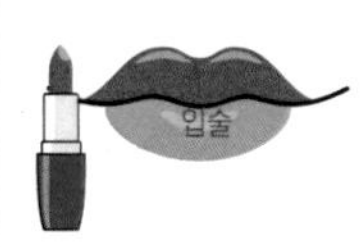

嘴唇
zuǐ chún

膝盖
xī gài

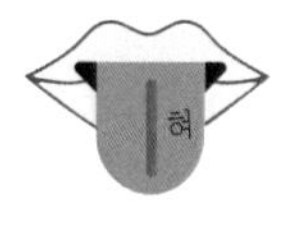

舌头
shé tou

脚趾甲
jiǎo zhǐ jiǎ

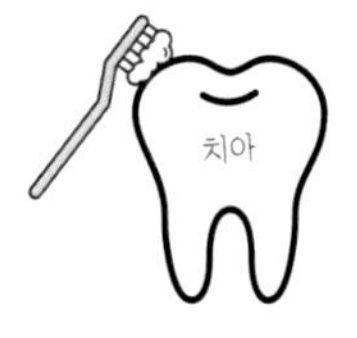

牙齿
yá chǐ

手指甲
shǒu zhǐ jiǎ

手指头
shǒu zhǐ tou

头发
tóu fà

脚趾头
jiǎo zhǐ tou

肚子
dù zi

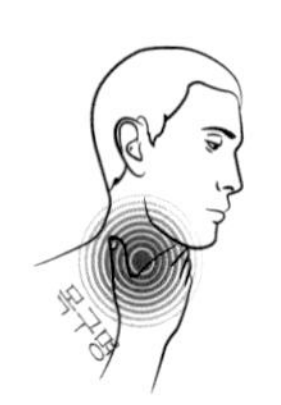

嗓子
sǎng zi

屁股
pì gu

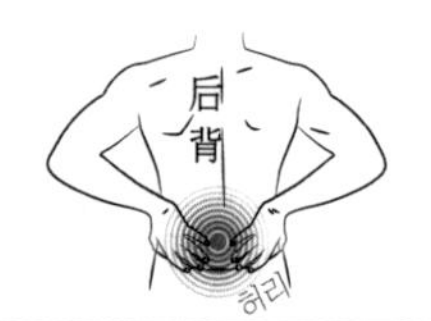

腰
yāo

脑
nǎo

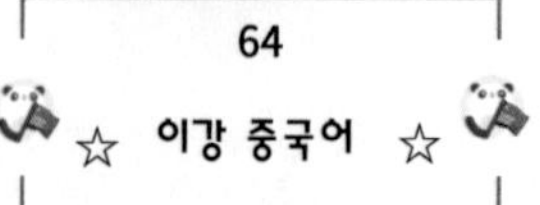

☆ 3과 眼睛在哪儿？

인체 (회화하기)

眼睛在这儿。

Yǎn jīng zài zhèr 。

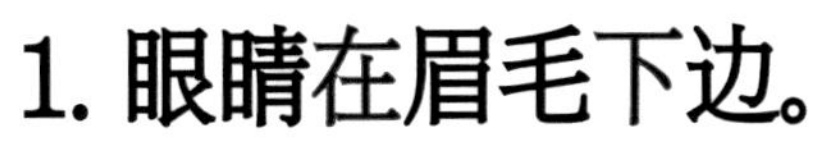

1. 眼睛在眉毛下边。
Yǎn jīng zài méi mao xià bian 。

2. 鼻子在嘴上边。
Bí zi zài zuǐ shàng bian 。

3. 牙齿在嘴里面。
Yá chǐ zài zuǐ lǐ miàn 。

4. 膝盖在大腿和小腿中间。
Xī gài zài dà tuǐ hé xiǎo tuǐ zhōng jiān 。

5. 脸在耳朵旁边。
Liǎn zài ěr duǒ páng biān。

6. 肚子在腰前边。
Dù zi zài yāo qián biān 。

7. 屁股在肚子后面儿。
Pì gu zài dù zi hòu mianr。

生词

在 …… 上	zài …… shàng	~ 위에 있다
在 …… 下	zài …… xià	~ 밑에 있다
在 …… 里	zài …… lǐ	~ 안에 있다
在 …… 外	zài …… wài	~ 밖에 있다
在 …… 旁边	zài …… páng biān	~ 옆에 있다
在 …… 对面	zài …… duì miàn	~ 맞은편에 있다

桌子上面的是什么?

☆ 4과 冷吗？

표정 & 상태 (단어)
춥다
冷
lěng
웃다
笑
xiào
덥다
热
rè
울다
哭
kū
후덜덜
무섭다
怕
pà
어지럽다
晕
yūn
빠쁘다
忙
máng
힘들다
累
lèi
기쁘다
高兴
gāo xìng
화나다
生气
shēng qì
속상하다
伤心
shāng xīn
住/出院
아파
生病
shēng bìng

☆ 5과 感冒了吗？

腹泻

건강상태 (단어)

咳嗽
ké sou

发烧
fā shāo

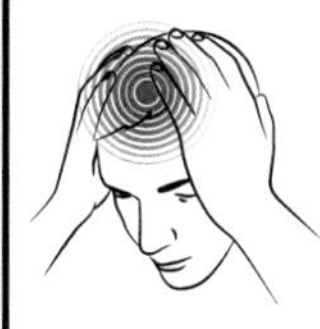

头疼
tóu téng

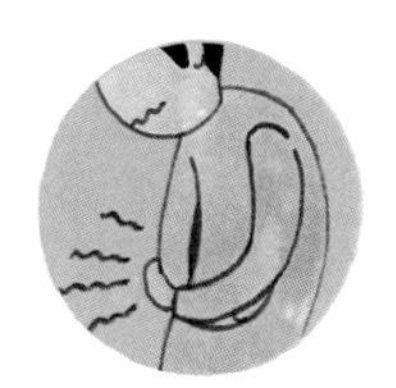

肚子疼
dù zi téng

头晕
tóu yūn

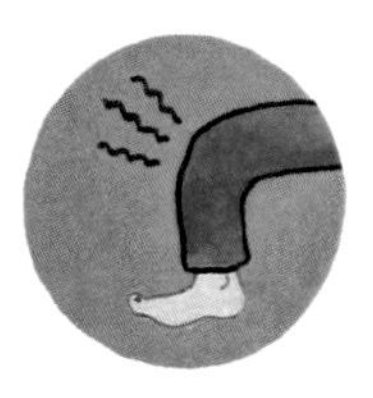

腿疼
tuǐ téng

流鼻涕
liú bí ti

过敏
guò mǐn

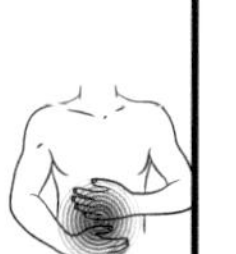

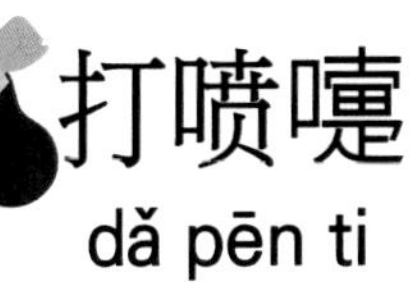

打喷嚏
dǎ pēn ti

胸闷
xiōng mèn

运动
跑步

生词

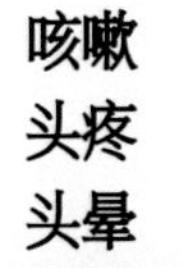

咳嗽	ké sou	기침	**发烧**	fā shāo	열나다
头疼	tóu téng	두통	**肚子疼**	dù zi téng	배 아프다
头晕	tóu yūn	머리가 어지럽다	**腿疼**	tuǐ téng	다리 아프다
流鼻涕	liú bí ti	콧물 흘리다	**过敏**	guò mǐn	알레르기
打喷嚏	dǎ pēn ti	재채기 하다	**胸闷**	xiōng mèn	가슴이 답답하다

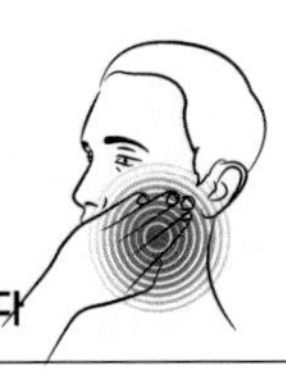

☆ 6과 怎么了？

건강관련 (회화)

你什么时候出院？

Nǐ shén me shí hou chū yuàn？

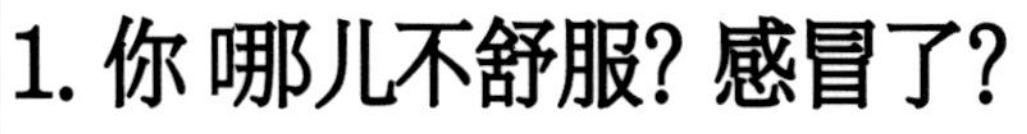

1. 你 哪儿不舒服? 感冒了?
   Nǐ nǎr bù shū fu？ gǎn mào le？
2. 你咳嗽吗？ 嗓子疼不疼？
   Nǐ ké sou ma ？ sǎng zi téng bu téng ？
3. 今天你怎么脸色不好？有什么事儿吗？
   Jīn tiān nǐ zěn me liǎn sè bù hǎo ？ yǒu shén me shìr ma？
4. 它怎么了？ 你家小狗可能生病了。
   Tā zěn me le ？ nǐ jiā xiǎo gǒu kě néng shēng bìng le 。
5. 你的眼睛怎么这么红？昨晚没睡好吗？
   Nǐ de yǎn jīng zěn me zhè me hóng?zuó wǎn méi shuì hǎo ma?
6. 听说你女朋友住院了，怎么回事儿？
   Tīng shuō nǐ nǚ péng you zhù yuàn le ，zěn me huí shìr ？
7. 你发烧多长时间了？好像有一个星期了。
   Nǐ fā shāo duō cháng shí jiān le？ hǎo xiàng yǒu yí gè xīng qī le。

生词

生词	병음	뜻	生词	병음	뜻
舒服	shū fu	편안하다	觉得	jué de	～라고 느끼다
不舒服	bù shū fu	편치 않다	好像	hǎo xiàng	마치～(와)과 같다
生病了	shēng bìng le	아프다	可能	kě néng	아마도
住院了	zhù yuàn le	입원하다	希望	xī wàng	희망하다/바라다
脸色	liǎn sè	안색	这么	zhè me	이렇게～

出院

지구야 사랑해

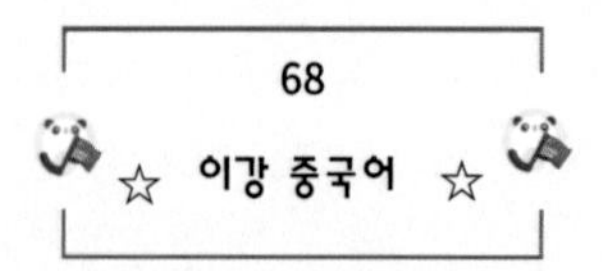

☆ 7과 天气

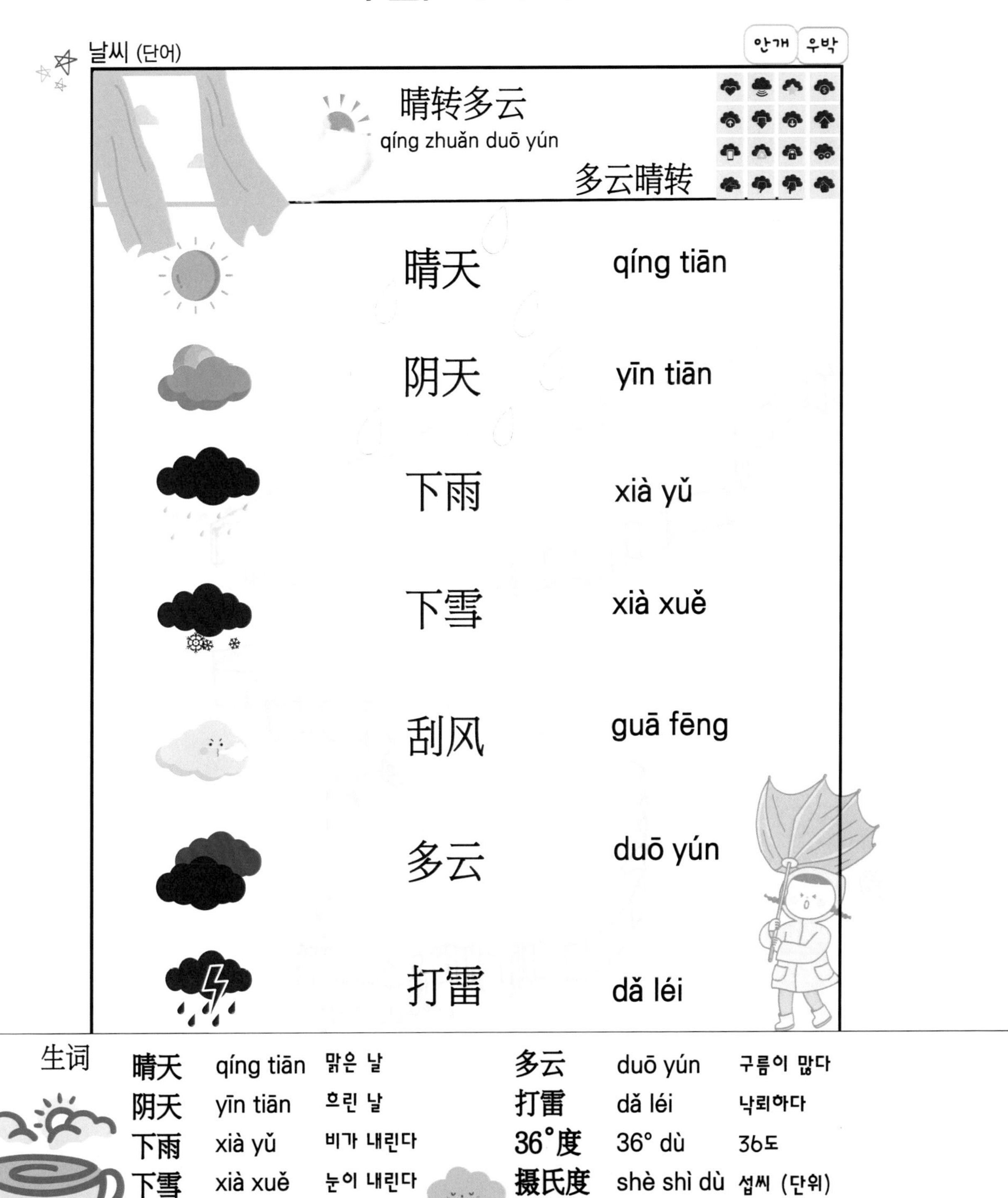

生词

晴天	qíng tiān	맑은 날	多云	duō yún	구름이 많다
阴天	yīn tiān	흐린 날	打雷	dǎ léi	낙뢰하다
下雨	xià yǔ	비가 내린다	36°度	36° dù	36도
下雪	xià xuě	눈이 내린다	摄氏度	shè shì dù	섭씨 (단위)
刮风	guā fēng	바람이 분다	温度	wēn dù	온도

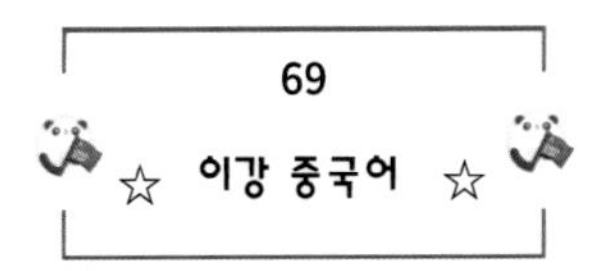

☆ 8과 一年四季

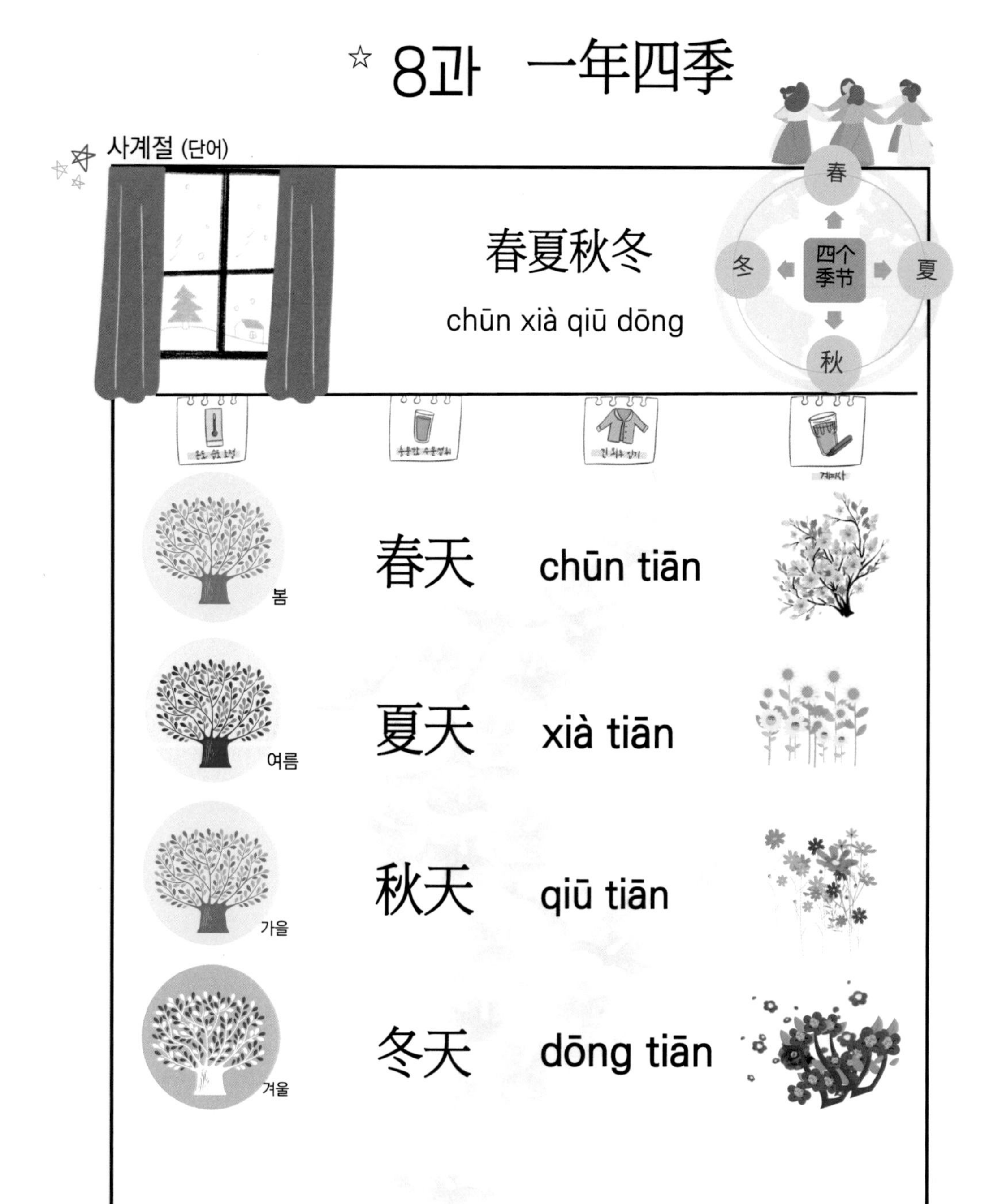

生词

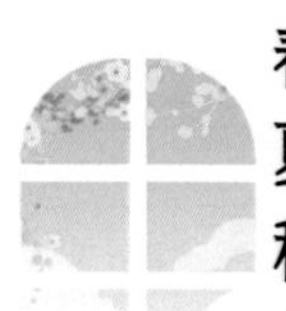

生词			生词		
季节	jì jié	계절	有点儿冷	yǒu diǎnr lěng	조금 춥다
春天	chūn tiān	봄	热	rè	덥다
夏天	xià tiān	여름	凉快	liáng kuài	시원하다
秋天	qiū tiān	가을	暖和	nuǎn huo	따뜻하다
冬天	dōng tiān	겨울	不冷不热	bù lěng bú rè	춥지도 덥지도 않다

☆ 9과 现在是什么季节？

4계절 (계절 & 날씨 회화)

你喜欢什么季节？

nǐ xǐ huān shén me jì jié？

天气预报
tiān qì yù bào

1. **你喜欢哪个季节？**
   Nǐ xǐ huān nǎ ge jì jié？
2. **我喜欢秋天，因为秋天很凉快，所以我喜欢。**
   Wǒ xǐ huān qiū tiān,yīn wèi qiū tiān hěn liáng kuài,suǒ yǐ wǒ xǐ huān。
3. **你们国家有几个季节？我国一年有四个季节。**
   Nǐ men guó jiā yǒu jǐ ge jì jié？ wǒ guó yì nián yǒu sì ge jì jié。
4. **夏天热、冬天冷、春天暖和、秋天凉快。**
   Xià tiān rè 、dōng tiān lěng 、chūn tiān nuǎn huo 、qiū tiān liáng kuài 。
5. **今天天气怎么样？**
   Jīn tiān tiān qì zěn me yàng？
6. **今天下雨了，有点儿冷。**
   Jīn tiān xià yǔ le ，yǒu diǎnr lěng。
7. **外面在刮大风，你别出去好不好？**
   Wài mian zài guā dà fēng ，nǐ bié chū qù hǎo bu hǎo ？
8. **我喜欢下雪天，你呢？**
   Wǒ xǐ huān xià xuě tiān ，nǐ ne ？
9. **明天下暴雨，出门一定要小心。**
   Míng tiān xià bào yǔ ，chū mén yí dìng yào xiǎo xīn 。
10. **现在在下小雨，你带没带雨伞？**
    Xiàn zài zài xià xiǎo yǔ ，nǐ dài méi dài yǔ sǎn ？

☆ 1과 常用动词

동사 (동사로 회화다지기)

동사 + 了	동사 완료 / 동사 변화	(동사 했다)
동사 + 着	동사 진행	(동사 진행하면서 ~ 하다)
동사 + 过	동사 경험	(동사 한적 있다)

看	kàn	보다
听	tīng	듣다
读	dú	읽다
说	shuō	말하다
写	xiě	쓰다
背	bèi	외우다
做 (坐)	zuò	...하다(앉다)

吃	chī	먹다	买	mǎi	사다
喝	hē	마시다	卖	mài	팔다
玩	wánr	놀다	找	zhǎo	찾다
想	xiǎng	생각하다	用	yòng	사용하다
要	yào	필요하다	借	jiè	빌리다
喜欢	xǐ huān	좋아하다	洗	xǐ	씻다

☆2과 饮食 1

음식 (단어)

巧克力
qiǎo kè lì

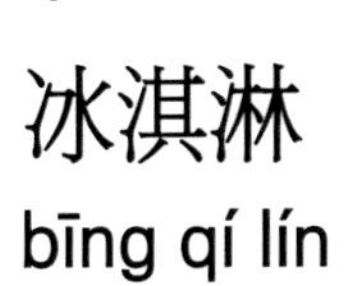

冰淇淋
bīng qí lín

比萨饼
bǐ sà bǐng

汉堡包
hàn bǎo bāo

三明治
sān míng zhì

爆米花
bào mǐ huā

炸鸡
zhá jī

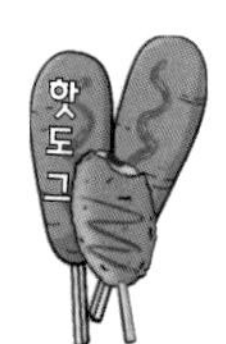

热狗
rè gǒu

薯条
shǔ tiáo

水
shuǐ

牛奶
niú nǎi

可乐
kě lè

雪碧
xuě bì

饮料
yǐn liào

果汁
guǒ zhīr

草莓汁儿
cǎo méi zhīr

矿泉水
kuàng quán shuǐ

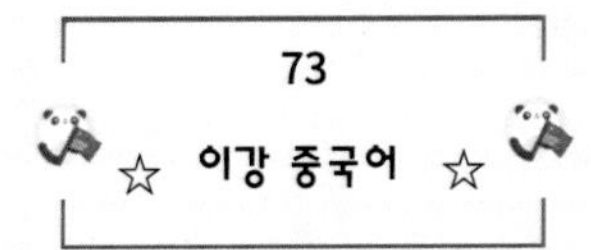

☆ # 3과 饮食 2

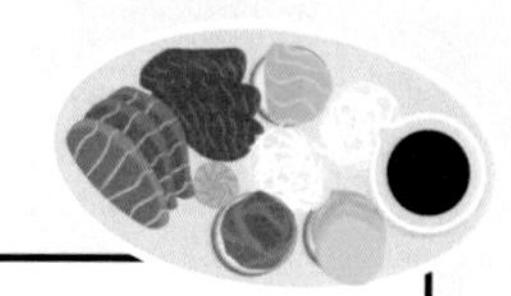

음식 (단어 2)

咖啡
kā fēi

饼干
bǐng gān

绿茶
lǜ chá

口香糖
kǒu xiāng táng

啤酒
pí jiǔ

饺子
jiǎo zi

红酒
hóng jiǔ

包子
bāo zi

白酒
bái jiǔ

馒头
mán tou

米酒
mǐ jiǔ

小笼包
xiǎo lóng bāo

珍珠奶茶
zhēn zhū nǎi chá

面包
miàn bāo

☆ 4과 面类

면류 方便面

面条
miàn tiáo　국수

碗儿面
wǎnr miàn　컵라면

拉面
lā miàn　라면

杂酱面
zá jiàng miàn　짜장면

冷面
lěng miàn　냉면

乌冬面
wū dōng miàn　우동

意大利面
yì dà lì miàn　스파케티

米线
mǐ xiàn　쌀국수

☆ 5과 你要什么？

什么味儿？

음식 (회화)

我要一个冰淇淋。

wǒ yào yí ge bīng qí lín。

1. 我要一瓶冰的矿泉水。
   Wǒ yào yì píng bīng de kuàng quán shuǐ。
2. 我要一杯美式咖啡。
   Wǒ yào yì bēi měi shì kā fēi 。
3. 来一碗牛肉面，再加一碗饭。
   Lái yì wǎn niú ròu miàn，zài jiā yì wǎn fàn。
4. 这个怎么卖？便宜点儿吧。
   Zhè ge zěn me mài ？ pián yì diǎnr ba 。
5. 一共多少钱？
   Yí gòng duō shǎo qián ？
6. 你点什么我就吃什么 。
   Nǐ diǎn shén me wǒ jiù chī shén me 。

生词						
	点	diǎn	주문하다/세다/점	外卖	wài mài	배달음식
	点菜	diǎn cài	음식을주문하다	热的	rè de	뜨거운 것
	菜单/谱	cài dān/pǔ	메뉴판	冰的	bīng de	얼음 있는것
	买单	mǎi dān	결제	凉的	liáng de	차가운 것
	请客	qǐng kè	한턱내다	冰块儿	bīng kuàir	얼음

☆ 6과 你做什么？

동작 1

看手机
kàn shǒu jī

唱歌
chàng gē

看电脑
kàn diàn nǎo

跳舞
tiào wǔ

看电视
kàn diàn shì

弹钢琴
tán gāng qín

看电影
kàn diàn yǐng

画画
huà huàr

看书
kàn shū

踢足球
tī zú qiú

写字
xiě zì

打游戏
dǎ yóu xì

工作
gōng zuò

做作业
zuò zuò yè

听音乐
tīng yīn yuè

照相
zhào xiàng

☆ 7과 你喜欢做什么？

☆ 동작 2

游泳
yóu yǒng

上网
shàng wǎng

登 / 爬山
dēng/pá shān

上 / 下班
shàng /xià bān

散步
sàn bù

上课
shàng kè

洗澡
xǐ zǎo

下课
xià kè

洗手
xǐ shǒu

开车
kāi chē

洗碗
xǐ wǎn

睡觉
shuì jiào

洗衣服
xǐ yī fu

起床
qǐ chuáng

做饭
zuò fàn

旅游
lǚ yóu

☆ 8과 你在做什么？

동작 (관련)

1. 你在做什么？我在工作呢。
   Nǐ zài zuò shén me ？ wǒ zài gōng zuò ne。
2. 你会开车吗？我不会。
   Nǐ huì kāi chē ma ？ wǒ bú huì。
3. 明天我帮你做饭，洗衣服。
   Míng tiān wǒ bāng nǐ zuò fàn ，xǐ yī fu 。
4. 别走路的时候看手机，知道了吗？
   Bié zǒu lù de shí hou kàn shǒu jī ，zhī dào le ma？
5. 今天你几点下班？你去接孩子吧。
   Jīn tiān nǐ jǐ diǎn xià bān ？ nǐ qù jiē hái zi ba 。
6. 弟弟在一边听音乐，一边做作业。
   Dì di zài yì biān tīng yīn yuè ，yì biān zuò zuò yè 。

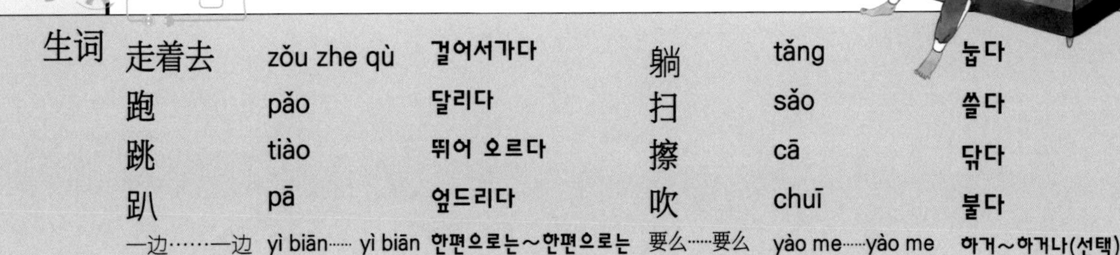

生词

走着去	zǒu zhe qù	걸어서가다	躺	tǎng	눕다
跑	pǎo	달리다	扫	sǎo	쓸다
跳	tiào	뛰어 오르다	擦	cā	닦다
趴	pā	엎드리다	吹	chuī	불다
一边……一边	yì biān…… yì biān	한편으로는~한편으로는	要么……要么	yào me……yào me	하거~하거나(선택)

☆ 9 과 你想做什么？

동작 (관련회화 2)

你的爱好是什么？

nǐ de ài hào shì shén me ?

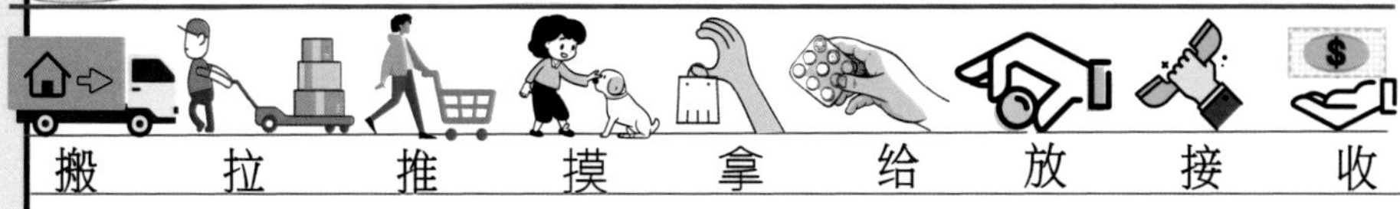

搬　拉　推　摸　拿　给　放　接　收

1. 今天我要去逛商场，你去不去？
   Jīn tiān wǒ yào qù guàng shāng chǎng ，nǐ qù bu qù ？
2. 我要听着音乐做作业。
   Wǒ yào tīng zhe yīn yuè zuò zuò yè 。
3. 你先去洗手再吃饭吧。
   Nǐ xiān qù xǐ shǒu zài chī fàn bā 。
4. 他说什么呢？你听懂了吗？(听不懂/没听懂)
   tā shuō shén me ne ? nǐ tīng dǒng le ma ? (tīng bu dǒng/méi tīng dǒng)
5. 下个月我要去海南出差一个星期。
   Xià ge yuè wǒ yào qù hǎi nán chū chāi yí ge xīng qī 。
6. 今天是星期一你怎么没上班？休假了?
   Jīn tiān shì xīng qī yī nǐ zěn me méi shàng bān ？xiū jià le ?
7. 明天不上班的话，我们一起去看电影吧。
   Míng tiān bú shàng bān de huà ，wǒ men yì qǐ qù kàn diàn yǐng ba .
8. 都12点多了，你怎么还没睡？
   Dōu shí èr diǎn duō le ，nǐ zěn me hái méi shuì ？

生词

词	拼音	뜻	词	拼音	뜻
逛商场	guàng shāng chǎng	상점을 구경하다	快点儿	kuài diǎnr	좀 빨리
逛街	guàng jiē	아이쇼핑하다	慢点儿	màn diǎnr	천천히
休假	xiū jià	휴가(보내다)	......的话	...... de huà	~하면
休息	xiū xi	휴식(하다)	听不懂	tīng bu dǒng	못 알아 듣는다
休课	xiū kè	휴강하다	没听懂	méi tīng dǒng	못 알아 들었다

☆ 1과 文具 1

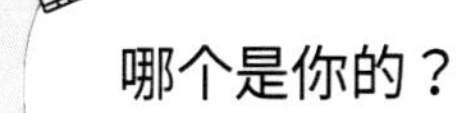

문구 1

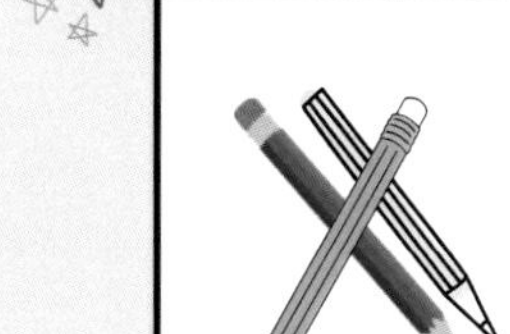

铅笔
qiān bǐ

书包
shū bāo

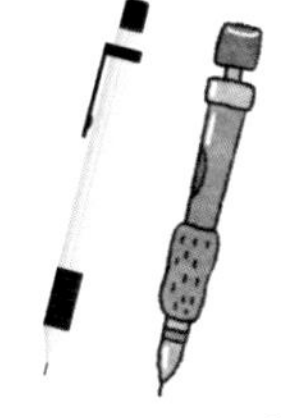

自动铅笔
zì dòng qiān bǐ

笔记本
bǐ jì běn

橡皮
xiàng pí

本子
běn zi

圆珠笔
yuán zhū bǐ

尺子
chǐ zi

钢笔
gāng bǐ

彩色(铅)笔
cǎi sè qiān bǐ

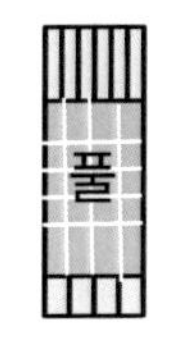

胶棒
jiāo bàng

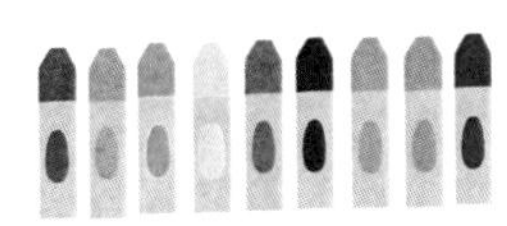

蜡笔
là bǐ

笔筒
bǐ tǒng

笔盒
bǐ hé

☆ 2과 文具 2

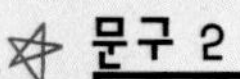

문구 2

컴퍼스

圆规

yuán guī

물감

水彩

shuǐ cǎi

손칼

小刀

xiǎo dāo

붓

毛笔

máo bǐ

집게

夹子

jiā zi

테이프

胶带

jiāo dài

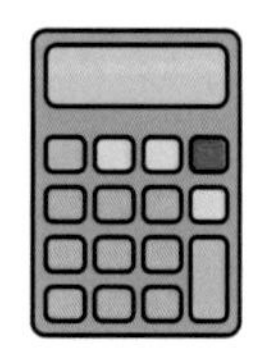

계산기

计算器

jì suàn qì

수정테이프

修正带

xiū zhèng yè

지구본

地球仪

dì qiú yí

수정액

涂改液

tú gǎi yè

돌돌이칼

卷笔刀

juǎn bǐ dāo

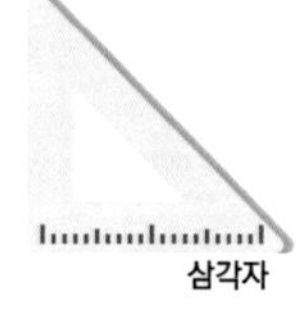

삼각자

三角尺

sān jiǎo chǐ

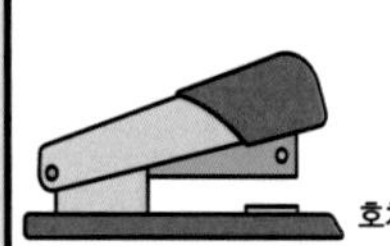

호치켓

订书器

dìng shū qì

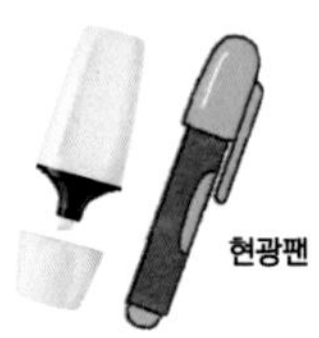

현광펜

荧光笔

yíng guāng bǐ

☆ 3과 第一节课

第一课
dī yí kè

학습준비활동	09:00 ~ 09:10
1교시	09:10 ~ 09:50
2교시	10:00 ~10:40
놀이시간	10:40 ~ 11:00
3교시	11:00 ~ 11:40
4교시	11:50 ~ 12:30
점심시간	12:30 ~ 13:20
5교시	13:20 ~ 14:00
6교시	14:10 ~ 14:50

	월	화	수	목	금
1	국어	수학	음악	수학	영어
2	영어	국어	과학	영어	과학
3	수학	사회	영어	국어	사회
4	과학	음악	수학	사회	국어
5	사회	영어	국어	과학	수학
6	음악	과학	사회	수학	음악

☆ 4과 下节课是什么课 ?

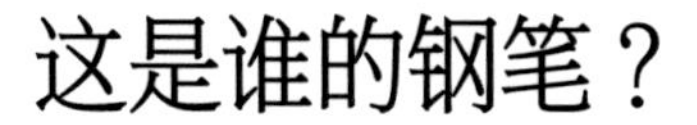

Zhè shì shuí de gāng bǐ ?

1. 第二节课是什么课？是数学。
   Dī èr jiě kè shì shén me kè？shì shù xué。
2. 今天有没有体育课？好像有。
   Jīn tiān yǒu méi yǒu tǐ yù kè ？hǎo xiàng yǒu。
3. 第几节课是汉语课？第四节课是汉语。
   Dī jǐ jiě kè shì hàn yǔ kè ？dī sì jiě kè shì hàn yǔ。
4. 下节课是英语课，我没带课本怎么办？
   Xià jiě kè shì yīng yǔ kè，wǒ méi dài kè běn zěn me bàn ?
5. 你的圆珠笔真漂亮，在哪儿买的？
   Nǐ de yuán zhū bǐ zhēn piào liang ，zài nǎr mǎi de ?
6. 我的钢笔坏了，可以借用一支吗？
   Wǒ de gāng bǐ huài le ，kě yǐ jiè yòng yì zhī ma ?
7. 这个白色的修正带是谁的？
   Zhè ge bái sè de xiū zhèng dài shì shuí de？
8. 我忘带尺子了可以借用一下吗？当然可以。
   Wǒ wàng dài chǐ zi le kě yǐ jiè yòng yí xià ma ？dāng rán kě yǐ.
9. 你的笔盒是什么时候买的？怎么这么新？
   Nǐ de bǐ hé shì shén me shí hou mǎi de ？zěn me zhè me xīn ?

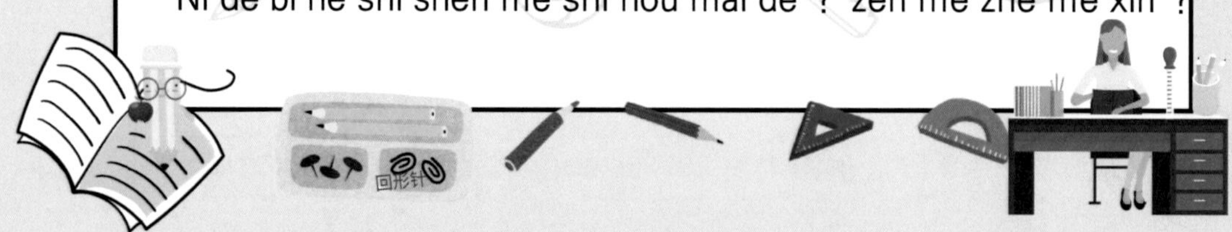

☆ 5과 味道怎么样？
음식 & 맛 (단어)
味
腥味儿。
香味,臭味。
炒
볶다 chǎo
咸
소금
짜다 xián
烤
굽다 kǎo
淡
싱겁다 dàn
炸
튀기다 zhá
酸
식초
시다 suān
煮
삶다 zhǔ
甜
설탕
달다 tián
蒸
찌다 zhēng
苦
약
药
쓰다 kǔ
炸过火了。
煎
부치다 jiān
炖
辣
맵다 là
涩
又嫩又筋道。

☆ 6과 厨具

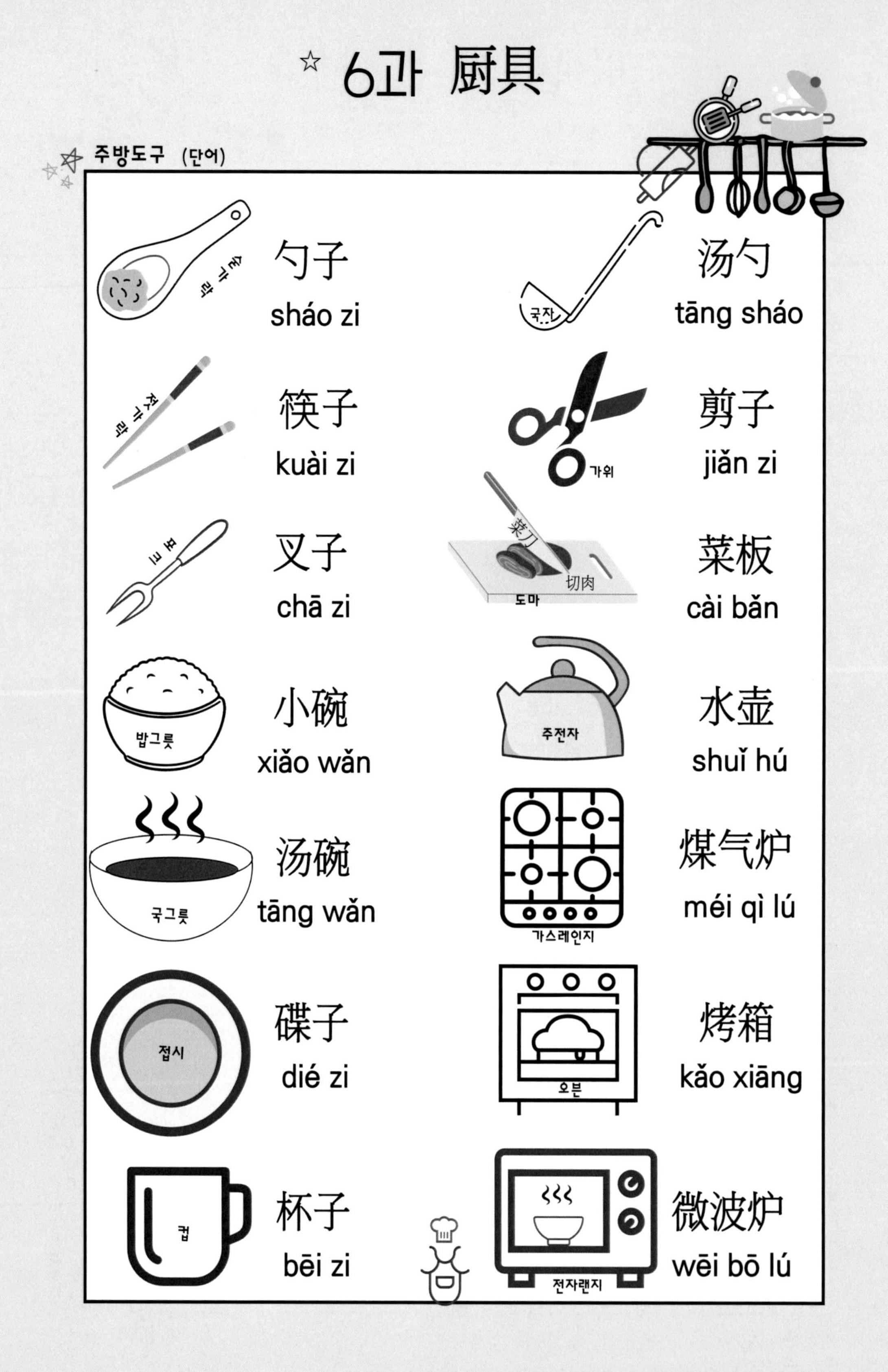
주방도구 (단어)
숟가락
勺子
sháo zi
국자
汤勺
tāng sháo
젓가락
筷子
kuài zi
가위
剪子
jiǎn zi
포크
叉子
chā zi
菜刀
切肉
도마
菜板
cài bǎn
밥그릇
小碗
xiǎo wǎn
주전자
水壶
shuǐ hú
국그릇
汤碗
tāng wǎn
가스레인지
煤气炉
méi qì lú
접시
碟子
dié zi
오븐
烤箱
kǎo xiāng
컵
杯子
bēi zi
전자랜지
微波炉
wēi bō lú

☆ 7과 你尝尝，怎么样？

음식 관련 (회화)

1. 这是我做的菜，咸淡怎么样？正好。

2. 这是你做的吗？又酸又甜，真好吃。

3. 这个鸡蛋是生的，煮的？

4. 你想吃杂酱面还是炒饭？什么都可以。

5. 你煮的水饺真好吃。比外卖的还好吃。

6. 今天晚上我们出去吃烤肉怎么样？

7. 我最喜欢吃你蒸的包子。太香了。

8. 这只鸡是你在家炸的？又香又脆。

☆ 8과 服装

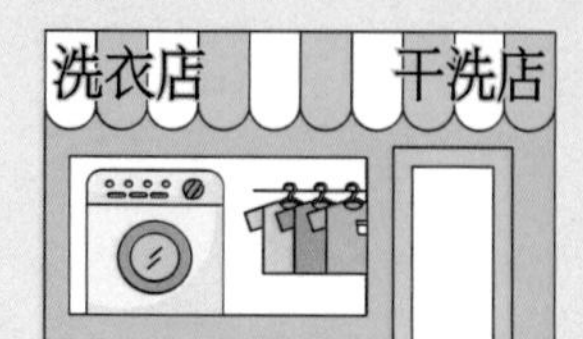

의상 (단어)

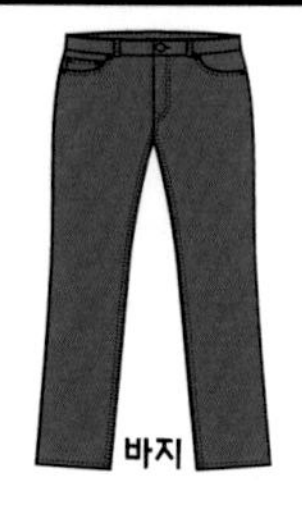

裤子
kù zi

帽子
mào zi

短裤
duǎn kù

手套
shǒu tào

裙子
qún zi

袜子
wà zi

连衣裙
lián yī qún

毛衣
máo yī

羽绒服
yǔ róng fú

睡衣
shuì yī

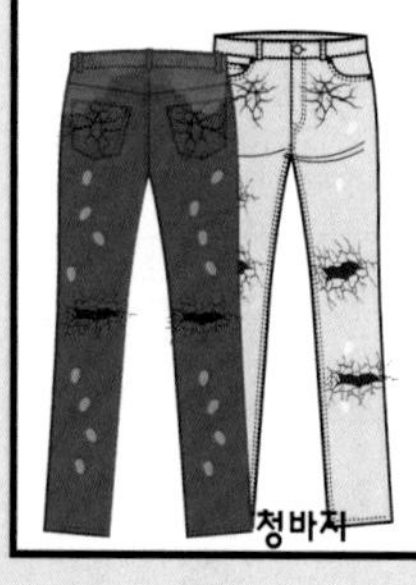

牛仔裤
niú zǎi kù

运动鞋
yùn dòng xié

☆ 9과 你试一下

☆ 의상 (관련회화 1)

你试一试？

1. 那个红色的连衣裙是谁的？

2. 你在哪儿买的羽绒服？告诉我。

3. 我也想买和你一样的，可以吗？

4. 当然可以，现在打折你想买的话，快去买吧。

5. 换季了，现在商场都大甩卖。

6. 这条牛仔裤，合适是合适就是有点贵。

7. 那双红色的高跟鞋，我可以试一下吗？

8. 这件毛衣打七折买的，怎么样？

9. 这双鞋多少钱买的？真好看。

10. 你试试那顶帽子，真漂亮。

단계별 QR : 교제 듣기

1 단계

2 단계

3 단계

4 단계

5 단계

6 단계

7 단계

8 단계

9 단계

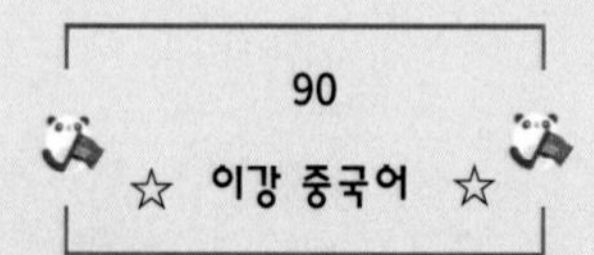